LISA CARDUCCI

NOUVELLES EN COULEURS

ÉDITIONS DE LA MARQUISE
7099«A», rue Saint-Denis,
MONTRÉAL (QUÉBEC, CANADA),
H2S 2S5
Tél.: (514) 273-2573

DIFFUSION GÉNÉRALE
QUÉBEC-LIVRES

ISBN 2-89296-014-2/
Dépôts légaux: 3e Trimestre 1985
Bibliothèque Nationale du Québec: Montréal.
Bibliothèque Nationale du Canada: Ottawa.
Bibliothèque Nationale de Paris: Paris.

COLLECTION: LIBRE-HORIZON
Imprimé au Canada.

Photocomposition:
Compotech Inc.,
136 A, rue St-Paul est,
Vieux-Montréal, Qué.
H2Y 1G6
(514) 861-7441

Réalisation et Revision:
LISA CARDUCCI
MONIQUE CÔTÉ

MAQUETTE DE LA COUVERTURE:
VAL CASSETTA

ILLUSTRATIONS:
VAL CASSETTA

NOUVELLE TURQUOISE

ELISABETH
ou
LA FIN JUSTIFIE LES MOYENS

Elisabeth glissait son doigt, lentement, entre les briques rouges. Elle suivait les interstices, selon le caprice de l'architecture, jusqu'au moment où elle toucha un cocon de chenille. Elle esquissa une moue dégoûtée, retira vivement sa main, la secoua comme pour se débarrasser de l'impression de saleté qu'elle éprouvait. Elle était sale, oui; c'est bien ce qu'elle ressentait depuis quelques jours sans trop comprendre. Toute la saleté du monde l'avait enveloppée, pénétrée, imprégnée l'après-midi où elle s'était honteusement livrée.

Si encore elle avait pu parler à Gérard. Tout lui dire. Avouer. Se laver.

Mais il était si loin. Jamais il ne l'écoutait. Comment prendrait-il au sérieux un tel récit? Il ne la laisserait même pas terminer. Peut-être rirait-il. Elle était seule.

La main qui avait tâté la brique vint se poser sur le bras d'aluminium de la chaise pliante. L'index suivit les rainures aussi naturellement que le fleuve descend son cours; puis, alternant avec le majeur, il se mit à escalader le bras de Gérard. L'épaule. Le cou. La main entière flâna quelques instants dans les cheveux, les embroussaillant.

Alors Elisabeth se souvint que quatre ans auparavant, elle ne pouvait toucher les cheveux de Gérard sans qu'il se dégage. Même lorsqu'ils faisaient l'amour. Il avait changé, voilà tout. Ne change-t-on pas toujours?

Elle se leva brusquement et rentra. L'air était plus frais à l'intérieur. Et l'eau de la douche rafraîchirait sa peau. Sa peau seulement. C'était en-dedans qu'elle avait mal, au fond, là-bas, très loin.

Elle régla les robinets pour obtenir le maximum de confort. Froide. Chaude. Tiède. Le fouet. Puis elle se laissa calmer par le jet rugissant. Progressivement, elle ferma l'eau chaude jusqu'à ce que son corps fût de glace. Elle ferma les yeux, ouvrit la bouche, offrit sa langue au fouet de l'eau. Volupté délicieuse. Mais l'eau qui faisait du bien n'entrait pas dans son corps. Dans son âme. Elle glissait sur la peau seulement.

— II —

Oh! la terrible blessure. Elisabeth n'était qu'une enfant quand la vie s'empara d'elle. Ce printemps-là était le premier dont les échos retentissaient jusqu'au fond de son être. Avant seize ans, l'automne mélancolique lui paraissait la plus enivrante des saisons. Elle l'avait chanté dans de nombreux poèmes. Elle avait déploré son séjour si bref. Le soleil, par contre, et les champs verts excitaient sa nervosité. Pour la première fois, l'année de ses seize ans, chaque arbre, la moindre fleur, ou même une brindille d'herbe lui offrait une émotion nouvelle. Parfois, lorsqu'elle se promenait seule dans le soleil, ses larmes descendaient rejoindre le sourire au bord des lèvres. Elle ne cherchait pas à comprendre cette émotion et se contentait d'écouter son coeur se gonfler d'un mélange d'espoir et de regret.

On aurait dit que la nature entière, à travers ses couleurs et ses lumières, lui apportait un douloureux message. Chaque fois qu'elle songeait à demain, son visage prenait l'expression inquiète d'un être à l'affût. Maintenant, tout son corps en avait la certitude: elle n'était plus seule. Un autre elle-même vivait, et vivait en elle, d'elle. Mais aussi un autre lui. Lui!

Et jusqu'au jour où naquit le fruit du mirage, elle ignora qu'elle n'était qu'une petite fille romanesque. Quand elle le comprit, elle ne l'était déjà plus.

La seconde précédant son réveil, elle le voyait en rêve, penché sur elle, sur son lit d'hôpital. En ouvrant les yeux, elle reconnut la silhouette de son visage découpée sur la blancheur du mur.

— As-tu vu notre enfant? prononça-t-elle sans conviction, comme si c'eût été la phrase qu'il fallait dire.

— Oui. Il te ressemble.

— Dommage! J'aurais tant voulu qu'il soit comme toi.

Comme si les filles n'existaient pas, Elisabeth avait accroché tout ce qu'elle avait d'espoir à son fils — son fils mâle. Elle referma ses grands yeux bruns avec tact, comme pour lui éviter l'embarras d'une réponse. Lui, prit sa main entre les siennes, sa petite main blanche entre ses grandes mains fortes. Comme elle avait changé! Il pensa à l'enfant mort. On aurait dit qu'elle allait devenir identique à cet enfant...

Dans son sommeil, elle appelait le fruit de son corps. Où était-il? Où l'avait-on caché? Une mère ne se sépare jamais de son fils. Elle le chercherait pendant la longue nuit. Oh! quel voyage pénible, décevant. Comment renoncerait-elle à le chercher, à courir, courir, mourir?

La fastidieuse remontée vers la vie avait duré onze jours. Onze jours d'inquiétude pour ceux qui l'aimaient, onze jours pendant lesquels la vie et la mort s'étaient disputé cette proie. Délivrée du fruit de son sein, Elisabeth se retrouvait encore plus seule. C'était la dot de l'existence.

Transsie de froid, elle ferma le robinet et s'enroula dans un peignoir d'épaisse ratine vert herbe. Elle se glissa entre les draps. Quand la chaleur fut revenue dans ses membres et dans son lit, elle rejeta par terre le peignoir humide.

— III —

La couleur du peignoir lui rappela la robe d'Hélène, une robe vert herbe aussi, qu'elle portait avec un foulard jaune d'oeuf qui semblait l'étouffer. Hélène s'était retournée au signal de Denise. «Tiens! Nous parlions justement de toi!» Elle n'avait rien répondu. Elle se sentait troublée à la pensée que quelqu'un, quelque part dans le monde, pût parler d'elle à son insu. Combient de fois était-ce arrivé? En combien d'endroits? A quel sujet? Qui parlait? Pourquoi parlait-on d'elle? Elle se souvenait d'avoir lu, déjà, que la moitié de l'univers parlait de l'autre moitié. Elle ne s'était jamais arrêtée à penser que cela la concernait aussi. Maintenant qu'elle comprenait de façon concrète, elle devenait assujettie à l'horreur de ne pas s'appartenir. Hélène non plus ne s'appartenait pas. Ni Denise. Ce qu'Elisabeth voyait lui appartenait, mais elle ne se voyait pas.

Même si elle ouvrait les yeux, le noir restait le noir. Gérard entra, se déshabilla dans l'obscurité pour ne pas la réveiller. Elle aurait voulu lui dire qu'elle ne dormait pas. Mais à quoi bon...

— IV —

A l'école, elle passait pour une enfant modèle. Jamais un mot dans les rangs, toujours les mains propres. Elle saluait les religieuses sans manquer de fléchir le genou, en courbant l'échine.

De questions, elle n'en posait jamais. A quoi bon. Elle sentait que son intelligence dépassait celle de ses compagnes et préférait trouver seule une solution plutôt que de recevoir de ses maîtresses une sotte réponse qui contenterait toute la classe sauf elle. Une fois, s'étant fait reprocher de ne pas participer suffisamment aux cours, elle s'était hasardée à questionner. Elle s'en mordit les doigts, car sa question lui mérita un sermon après la classe: c'est le démon de l'orgueil qui vous a poussée à prendre votre professeur en défaut. N'oubliez pas que toute autorité vient de Dieu. Contentez-vous de ce que l'on vous enseigne. La curiosité est malsaine et peut vous mener aux portes de l'enfer. — Oui ma soeur, merci ma soeur.

Elle serrait les dents quand on la citait en exemple. Non! elle n'était pas une enfant modèle, mais une enfant qui avait peur, qui ne savait jamais jusqu'où une réponse pouvait aller sans tomber dans l'impertinence ou un geste dans l'insolence.

Les yeux grands ouverts dans le noir, elle craignait le moment où Gérard s'approcherait d'elle. Quatre jours de prétendues menstruations l'avaient tenu à distance. Mais la semaine prochaine, quand cela se produirait réellement, il s'apercevrait bien qu'elle avait menti. Hier, il faisait trop chaud. Mais ce soir? Le corps a ses raisons que la raison... Que dirait-elle? Il ne croirait pas qu'elle l'avait trompé. Et même s'il le croyait, il ne comprendrait pas. Elle non plus d'ailleurs. Y avait-il quelques chose à comprendre?

— V —

Un jour, sur le quai du métro, elle regardait les rails en songeant à toutes ces malheureuses qui adoptaient ce moyen et ce lieu de prédilection pour en finir avec la vie. Elisabeth les voyait s'approcher du bord fatal au moment où le train grandissait à toute vitesse. Quand une candidate au suicide sort de chez elle pour la dernière fois, prend-elle son sac, se coiffe-t-elle, revêt-elle sa plus jolie robe?

Quand le train approchait, elle craignait qu'une quelconque impulsion secrète ne la projette en avant. Parfois, il lui fallait s'asseoir pour s'assurer de ne pas être propulsée. Etait-ce là ce que les philosophes appellent «un acte gratuit»? Un geste fou qu'on accomplit pour l'accomplir, sans raison, sans en rien tirer que l'accomplissement pur?

Combien y avait-il de suicidés par an? Elle essayait de se souvenir de certaines données, d'évaluer. Des femmes surtout? Quel âge? Pourquoi?

Ils faisaient l'amour environ trois fois par semaine la première année. Trois fois cinquante, cent cinquante. Puis deux fois la deuxième année: plus cent égale deux cent cinquante, plus encore cent, non, disons cent cinquante les deux autres années, ce qui donne quatre cents. Quatre cents fois, il avait joui; quant à elle, rarement le plaisir, souvent l'absence totale.

La dernière fois, elle n'avait pas joui. Elle avait sommeil et sa comédie lui permettait d'en finir au plus tôt. Avec l'autre non plus. Mais sans comédie. Un acte gratuit.

— VI —

Gratuit le souvenir de Monsieur Cam qui lui revint à la mémoire sans raison. Monsieur Cam était un étrange personnage. Ni attirant, ni repoussant. Un homme masqué, mais un bien piètre comédien. D'ailleurs, croyait-il lui-même à son jeu? Il se cachait sous ce pseudonyme et se dissimulait derrière d'éternels verres fumés. Empêchaient-ils le reflet de son oeil sur le monde ou soustrayaient-ils cet oeil à la lumière du monde? Il mordillait sans cesse un énorme cigare toujours éteint. Il ne saluait personne. Il se cachait en lui-même. Il est mort.

Se cacher longtemps, jusqu'à ce que Gérard oublie son existence. Jusqu'à ce qu'elle oublie qu'elle est Elisabeth et qu'elle est sale, Toujours. Se cacher sous les draps. Dans le noir. Gérard est dans le noir, sous les draps.

— VII —

La musique adoucit les moeurs. La religion verse dans les âmes un baume bienfaisant. Etait-ce une réminiscence de lecture? Ou devenait-elle philosophe? Elisabeth avait vécu une période mystique pendant son adolescence. Elle s'enfermait pendant des heures dans sa chambre, surtout pendant la semaine sainte, pour revivre en esprit les souffrances du Christ. Elle avait été membre des congrégations mariales et poussé le scrupule jusqu'à la confession quotidienne. Jamais elle ne manquait une récollection mensuelle chez les Jésuites. Scandale, le jour où elle avait annoncé — à regret bien entendu, qu'elle se retirait du mouvement parce ses engagements familiaux et sociaux ne lui permettaient plus de satisfaire à toutes les exigences de la sainteté. Elle était entière. Tout ou rien. Vierge ou putain.

Quand elle se donnait à une cause, elle s'y consacrait entièrement. Si Gérard se tournait vers elle, elle se refuserait entièrement. Ce jeudi-là aussi, elle s'était offerte toute; heureusement elle n'avait pas joui. Il y aurait peut-être rémission possible.

Mais il lui fallait apprendre à se regarder en face, avec des yeux sans préjugés, passer du mépris à l'estime de soi.

Gérard avait succombé sous le poids de la chaleur. Il étira une jambe. Après quelques minutes, entre sa peau et celle d'Elisabeth, des chatouillements de sueur qui coule la tirèrent du demi-sommeil qui flottait autour de sa tête.

Quatre heures vingt-cinq. Les premières lueurs du jour s'étiraient sur la ville. Elle se leva, ferma les tentures pour prolonger un peu la nuit. Gérard fit un tour complet sur lui-même, comme les enfants qui roulent vers le bas d'une colline. Maintenant, il occupait la place d'Elisabeth;

comme elle ne pouvait se recoucher sans le réveiller, elle resta debout; ses yeux épiaient le ciel sans que le ciel pût la voir. A la manière d'un voile qui ne laisse percevoir que la figure d'une nonne, les rideaux encadraient le visage d'Elisabeth, puis elle les referma entre ses seins. Gérard ourvit les yeux, étira ses membres. Il rappela à Elisabeth l'étoile de mer qu'elle avait ramassée elle-même sur le sable chaud.

— VIII —

Huit ans déjà s'étaient enfuis depuis qu'Elisabeth avait mis à nu ses seins blancs sous le soleil, pour la première fois. Gérard avait persuadé la petite fille qu'elle était alors qu'il lui proposait un rituel que tous les amoureux connaissaient et pratiquaient. Elle n'avait pas dominé sa pudeur, non; elle s'était simplement résignée à marcher dessus. Des frissons la parcouraient malgré les rayons dorés. Ils s'étaient roulés sur l'herbe chaude et fraîche à la fois. Elisabeth n'arrivait pas à profiter de l'enivrement possible tant son éducation avait faussé l'image du Bien et du Mal. Elle craignait d'être surprise. Si Gérard et elle avaient trouvé un sentier pour arriver jusqu'à cette éclaircie, d'autres couples pouvaient le trouver aussi. Ils apercevraient les deux corps enlacés, quelques vêtements épars. Aussi était-elle restée froide, insensible sous les mains caressantes de Gérard.

Encore aujourd'hui, chaque fois qu'elle promenait nu son propre corps, dans sa propre maison, elle éprouvait une gêne, comme une honte. Même seule dans la maison, elle fermait la porte de la salle de bain pour prendre une douche.

Elisabeth retira sa tête d'entre les tentures et revint s'asseoir sur le lit. De son index, elle suivit une veine proéminente sur le bras de Gérard maintenant réveillé. Il s'assit tellement rapidement qu'elle sursauta. Suçant son pouce, il mima un enfant timide: «Veux-tu zouer avec moi?» Elisabeth esquissa un sourire. Gérard l'enlaça, la renversant sur lui; elle imaginait le déroulement du scénario. Il faudrait bien qu'elle y passe un jour; elle ne pouvait pas se refuser pour le reste de sa vie. C'était si facile de se taire et d'oublier. Puisque d'avance il la croyait innocente! Lui parler signifiait: éveiller ses soupçons, le convaincre qu'elle n'était qu'une femme comme les autres, le combattre longtemps, pleurer peut-être, puis subir sa colère ou sa souffrance, ou les deux. A quoi bon, quand tout cela pouvait être évité?

— IX —

Quand elle l'avait connu, elle ne croyait pas encore à l'amour. «Tous les hommes ont des maîtresses et toutes les femmes des amants», lui avait-dit Denise au sortir d'une dispute familiale où elle l'avait constaté. Elisabeth avait craint de s'engager, de se lier, pour se voir ensuite abandonnée. Ce qui l'avait attirée chez Gérard, c'est qu'il la dominait. Elle avait besoin pour être heureuse de pouvoir lever les bras désespérément haut au-dessus de sa tête, avec la certitude de ne jamais atteindre de fin. Elle avait eu peur et espéré.

Pourvu qu'il ne me demande pas si je suis heureuse. Assez mentir. Elle savait qu'il lui faudrait payer le prix de sa faute.

Des coïts sans orgasme. Lui, ne devait pas savoir, pas souffrir. Elle devait mentir. Il fallait mentir et simuler la passion. Pourtant, tout son corps parlait clairement, mais Gérard ne savait pas lire ces signes. Il ne remarquait pas que les seins et les lèvres d'Elisabeth demeuraient flasques, qu'elle ne transpirait pas, que son coeur ne battait pas plus vite.

— X —

Elle avait cru que son coeur éclaterait le soir où elle lui avait avoué son amour. Cette idée d'insister aussi! Pourquoi voulait-il absolument savoir? Elle avait mis tant de temps à s'assurer qu'elle l'aimait. Lui, ne comprenait pas. Il l'avait aimée dès la première rencontre. De plus, il voulait savoir si elle l'aimerait toute sa vie durant! Elle se sentait incapable de répondre; elle avait acquiescé quand même. Lui faire mal tout de suite en lui disant qu'elle n'en savait rien, ou plus tard, en manquant à sa promesse, elle avait préféré opter pour la chance à courir.

Jamais auparavant elle ne s'était vue l'instrument du bonheur de quelqu'un; voilà qu'un homme allait être heureux grâce à elle.

Gérard souriait béatement. Il ne s'était aperçu de rien, n'avait posé aucune question. Comme cela avait été facile! Trop facile sans doute. Ne pas mentir. Se taire. Ne rien dire de peur de se trahir. Ne pas avoir à mentir. Le mur était franchi. Elisabeth se serait sentie libérée peut-être si elle avait consenti à y songer. Mais elle préféra ne pas penser à ce qu'elle venait de faire. Des choses qui valent la peine qu'on y songe, il n'y en avait sûrement pas beaucoup. Laisser aller, laisser passer le temps qui guérit tout. L'important n'était-il pas de ne pas déranger la vie calme et tranquille de Gérard? Le pas décisif était fait. Continuer. Continuer comme si rien ne s'était passé. D'ailleurs, s'était-il passé quelque chose?

— XI —

Devant son café presque froid, Elisabeth traça le programme de sa journée.

Elle ne savait pas si elle s'ennuyait ou si elle désirait continuer à perdre son temps. C'était bien l'impression qu'elle avait: gaspiller des heures qu'elle jugeait si précieuses quand elle travaillait. Tourner en rond.

A onze heures, elle partit pour le jardin botanique. Revoir les plantes tropicales. Sentir la bonne chaleur humide des forêts vierges. L'odeur de la terre. C'est le monde en miniature. Tous les pays rassemblés en neuf serres. Tous les climats reconstitués dans des maisons de verre.

Au bout de la dernière serre, elle dut profiter du banc. Elle se sentait faiblir un moment. Comme huit ans auparavant, quand elle attendait son bébé. Elle imagina cet enfant, là, debout devant elle. Ressemblait-il à Gérard? A sa mère alors? Comment les cheveux noirs de Gérard et les siens, châtain roux, pouvaient-ils donner ce garçonnet blond?

Elle se remit en marche lentement, oubliant de regarder les cactus, les orchidées, les bégonias, les fougères, toutes les merveilles pour lesquelles elle était venue. Elle revoyait plutôt les graphiques du livre de génétique, où des souris blanches et des noires croisaient leur gènes, dominants, récessifs, où les roses rouges prêtaient aux roses blanches des traits pour les générations suivantes. Elle ne se souvenait plus très bien comment les choses se passaient pour les fleurs, les animaux et les hommes. Mais cela importait bien peu maintenant.

— XII —

«Comme Elisabeth se dirige vers la médecine, ce livre lui revient de droit. Les maladies industrielles intéresseront sûrement un futur médecin», avait dit soeur Cécile à soeur Aline, à la fin de l'année scolaire. D'ailleurs, Elisabeth était une élève remarquable en biologie. Elle était entrée au Cegep en septembre, mais elle avait quitté avant d'entreprendre la session de janvier.

Sa grossesse commençait à attirer l'attention et les soupçons. Les lourds vêtements d'hiver permettaient un certain camouflage. La mode était aux chandails en grosse laine, au tricot relâché, qui semblaient toujours deux fois trop longs et trop larges. D'ailleurs, son état requérait du repos. Les parents d'Elisabeth avaient établi qu'elle demeurerait avec eux jusqu'à l'accouchement, après quoi le jeune couple s'installerait dans la chambre de Bernard, le frère de Gérard, qui quittait la maison pour se marier. Les parents de Gérard étaient plus ouverts et plus compréhensifs que ceux de la jeune fille. Ils n'avaient pas crié au scandale en apprenant la nouvelle et s'étaient efforcés d'agir avec le plus d'humanisme possible. Elisabeth se demandait encore comment ils avaient réussi à faire accepter l'événement comme normal à sa propre famille. Ou le fait de devenir grands-parents attendrit-il à ce point les coeurs les plus coriaces?

Il avait été question de mariage, pas entre Elisabeth et Gérard en premier lieu, mais entre les parents et les deux jeunes. D'avortement, personne n'en avait parlé. D'ailleurs il était trop tard. Gérard était encore à la charge de ses parents. Et pour longtemps. Elisabeth aussi. Rien ne pressait. La sagesse conseillait de ne pas accélérer la marche des événements. On attendrait la maturité et la décision des intéressés pour préparer la noce.

Puis en mai, deux semaines avant la date prévue pour l'accouchement d'Elisabeth, il y eut le terrible accident. L'enfant ne vit jamais le jour.

— XIII —

Le chauffeur baissa la vitre et cria: «Avez-vous envie de vous faire tuer? C't'idée de traverser la rue sans regarder!» çe hurlement rappela à Elisabeth qu'elle avait entendu les pneus crisser sur l'asphalte ramolli par la chaleur. Elle se ressaisit, s'aperçut qu'elle avait traversé re boulevard Pie XI sans même s'en rendre compte. Elle se trouvait maintenant du côté de l'ombre. Elle continua sa marche vers le nord. Comme un criminel retourne sur les lieux de son crime, elle parcourut, en escalier, les rues, jusqu'à la banque où elle travaillait comme caissière quand elle avait rencontré de nouveau Gérard, après quatre années de séparation.

Pendant ce temps, elle avait vécu avec un crainte mêlée de dégoût, ou du moins d'indifférence, face à la sexualité. On aurait dit une vierge sauvage. Elle refusait toutes les invitations des garçons, alléguant diverses raisons qui n'avaient jamais paru suspectes. Elle pensait parfois à Gérard; elle se demandait ce qu'il était devenu, s'il avait continué ses études, s'il avait réussi sa vie. De savoir s'il était marié ne l'intéressait pas. Ou peut-être simplement par curiosité.

Quand Gérard reçut sa première paye, il jugea pratique d'ouvrir un compte dans une banque près de son bureau. Il se réjouit de revoir Elisabeth, mais n'en parut pas surpris. Sa réaction face à Gérard fut la même, comme si de toute éternité cette rencontre avait été prévue, comme s'ils avaient su tous deux.

Le coeur de Gérard était libre, et disponible pour l'amour. Elisabeth ne savait que faire du sien. Cinq mois plus tard, ils se les offrirent l'un l'autre, pour toujours.

Voilà, Gérard était casé. Il pourrait songer à son avancement, comptant sur les services d'une femme de ménage, d'une cuisinière, même d'une secrétaire au besoin. En retour, il lui offrait son nom et le statut de femme mariée. Bien sûr, elle pourrait continuer de travailler à la banque. Cela la tiendrait occupée et aiderait à payer l'aménagement du bureau de Gérard. Car il comptait bien s'établir à son compte avant deux ans. Il avait confiance en ses talents et il acquerrait de l'expérience à l'intérieur même de sa propre affaire.

Quand les enfants viendraient, pensait Elisabeth, elle quitterait la banque pour s'occuper d'eux. Quand ils iraient à l'école, ils pourraient écrire fièrement sur leur fiche:
Nom de père: Toulon, Gérard
Occupation: Président... ou Directeur
A l'emploi de: à son compte.

D'avance elle était fière de la réussite de son mari. «Derrière tout homme qui réussit, il y a une femme.» Elle serait cette femme-là. Cela lui suffisait et elle s'en réjouissait.

— XIV —

Les petits n'étaient pas venus. Au début, Elisabeth était convaincue de stérilité passagère qu'elle imputait au traumatisme subi lors de la perte de son enfant. Peut-être avait-elle raison. Après quelque temps, elle cessa de se poser des questions et finit pas considérer comme un avantage le fait de ne pas redevenir enceinte sans même avoir de mesures à prendre. Ce qui lui paraissait étrange d'abord, c'est que Gérard semblait regarder la situation avec les yeux de l'habitude. Elisabeth voyait dans le silence de Gérard une marque de délicatesse à son égard: il ne voulait pas lui rappeler sa maternité frustrée.

Lorsqu'elle connut mieux Gérard, elle comprit que ce genre de délicatesse cadrait mal avec son caractère égocentrique. S'il ne parlait pas d'enfants, c'était plutôt parce qu'il songeait à établir sa réputation et à consolider son entreprise financière. Elle se fit à l'idée que cette préoccupation passait avant la paternité dans l'échelle de valeurs de Gérard. L'affaire était classée. Comme un sujet tabou.

Un gros nuage noir passa devant le soleil et l'air sec se refroidit aussitôt. Elisabeth frissonna et décida de prendre l'autobus pour rentrer.

— XV —

Il faisait froid aussi le jeudi où elle avait succombé aux avances de son amant d'un jour. Ce souvenir la fit grincer des dents, mais l'expression «succomber aux avances» qui lui était venue spontanément à l'esprit, la fit sourire intérieurement. Elle n'avait pas succombé, elle avait décidé, froidement, de se laisser faire. Elle se remémorait les rencontres des films à l'eau de rose où un regard magnétique conduit inexorablement au baiser passionné dont on connaît les suites.

Jean-Luc était professeur d'arts plastiques dans une école secondaire. Le soir, il enseignait la photgraphie aux adultes.

Elisabeth s'était inscrite à ces cours pour meubler ses temps libres.

Après trois ou quatre cours théoriques sur les caractéristiques des appareils et leur maniement, Jean-Luc avait commencé les cours pratiques. Les élèves, par groupes de deux ou quatre, avaient chaque semaine une leçon à appliquer: photographie d'arbres, d'édifices, d'objets en mouvement, d'animaux, de figures expressives, plus tard compositions artistiques au choix, en noir et blanc, en couleurs. On travaillait fort tard certains soirs, avant que le développement, l'impression et le séchage soient terminés.

Elisabeth qui avait commencé les cours en retard se trouvait seule: toutes les équipes étaient déjà formées. Jean-Luc en prit donc un soin particulier. Il l'accompagna pour ses séances de prise de photos, et Elisabeth bénéficiait de judicieux conseils. Jean-Luc ne lui laissait pas souvent l'occasion de commettre une erreur. Les travaux pratiques étaient ensuite exposés en classe et commentés par le groupe. Ceux d'Elisabeth servaient d'exemples et ne méritaient que des éloges. Son imagination alliée à son savoir-faire produisaient des oeuvres qui encourageaient son ambition. De plus, le charme de Jean-Luc et ses félicitations répétées incitaient l'élève à concurrencer le maître. Devenir comme lui ne lui suffisait plus; elle voulait maintenant le dépasser.

La jeune femme avait cherché à attirer Gérard vers son nouveau centre d'intérêt. Il ne partageait pas les goûts d'Elisabeth; d'ailleurs, après sa journée de travail, il tombait de fatigue. Que sa femme sorte de la maison lui laissait la soirée libre. Une fois par semaine. Regarder la télévision. Ne rien faire.

— XVI —

Quand elle restait à la maison le soir, Elisabeth s'assoyait parfois au salon avec Gérard. Malgré sa présence, il s'endormait. Elle se sentait incapable de soutenir une conversation avec lui. Ils divergeaient d'opinion en politique, elle n'aimait pas le sport, ils se disputaient sur la musique. Le champ d'action et de pensée de Gérard se limitait à la finance, au bureau, aux affaires. Les intérêts d'Elisabeth étaient variés, illimités, et portaient principalement sur la littérature et les arts. Leurs pensées intimes, chacun les gardait pour soi. Communiquer pour Gérard consistait en une opération trop fastidieuse; partager idées et sentiments, une opération futile.

Elisabeth détestait parler pour parler, dans le vide, et rien ne l'irritait plus que de s'apercevoir, après avoir raconté quelque chose à Gérard, que depuis le début elle avait complètement perdu son attention, qu'il n'avait pas écouté, qu'il ne s'était même pas aperçu qu'elle lui parlait. Elle quittait alors la pièce en colère et se renfermait dans la chambre. Un soir, elle gronda entre ses dents: «Attendre de toi de la compréhension, c'est comme attendre d'une vache qu'elle donne des oeufs!»

— XVII —

Plus Elisabeth voyait Jean-Luc, plus l'image de l'homme se substituait à celle du professeur. Avoir dans sa vie un homme à qui parler, à qui raconter quoi que ce soit, sans tamiser les paroles, sans crainte d'être ridiculisée, rabrouée ou méprisée; sans crainte aussi de passer pour une femme incompréhensible, aux idées saugrenues ou enfantines. Et plus Elisabeth s'apercevait que cet homme s'appelait Jean-Luc, plus elle désespérait de jamais réveiller, sinon faire naître, chez Gérard, ces qualités dont elle avait tant besoin. Elle éprouvait une profonde frustration: elle s'était mariée pour vivre à deux et elle se voyait condamnée à vivre seule, parallèlement à un homme avec qui elle n'avait rien en commun que le lit conjugal.

La personnalité de Jean-Luc, à la manière d'un cercle vicieux, eut tôt fait d'augmenter l'intérêt d'Elisabeth pour la photographie; et l'exercice d'une activité commune rapprocha l'élève de son maître. D'ailleurs Jean-Luc reconnaissait chez elle un talent rare dont il tirait une certaine fierté: si Elisabeth réussissait, n'était-il pas le parrain de ce succès?

— XVIII —

Le printemps approchait; d'un jour à l'autre, la nature comprimée pendant des mois éclaterait de renouveau. Elisabeth sentait la sève monter en elle; après avoir préféré l'automne aux autres saisons pendant ses années d'adolescence, elle s'était mise à chérir le printemps au point de se demander comment elle avait pu aimer l'automne qui lui faisait horreur maintenant.

La carrière de Gérard semblait vouloir prendre un tournant nouveau. Il avait fait ses preuves; les cadres savaient qu'ils pourraient compter sur lui le besoin échéant. Aussi ne fut-il pas surpris lorsqu'on lui offrit de représenter la compagnie au mini-congrès des 14, 15 et 16 mars. Les réservations étaient faites depuis longtemps au Reine-Elizabeth; il ne restait qu'un nom à trouver. Gérard Toulon prêta le sien sans hésitation, comme si tout avait été mûri d'avance. Denis lui serra la main, sourit de l'empressement du jeune inexpérimenté, et lui remit un cartable bourré de documents à parcourir en préparation du congrès.

En rentrant à la maison, Gérard se dit: «Je suis un business man». Jusque là, il disait: «Je suis dans les affaires» ou «Je suis conseiller financier», mais la résonance était différente. Il se donnait un titre nouveau; c'était une promotion qui l'excitait au plus haut point.

En attendant un feu vert, Gérard jeta un coup d'oeil sur une vitrine de costumes masculins. Il lui faudrait un complet gris. Il apporterait aussi le marine et le brun. Me souvenir de vérifier chemises, cravates, chaussettes. Et mes chaussures? Peut-être en acheter de nouvelles. Nettoyer ma serviette en cuir. Il faillit écraser un chat. C'était, bien sûr, la faute du chat.

— Elisabeth! J'ai quelque chose à te dire!

— Quoi? Tu veux divorcer? Depuis des mois que Gérard n'avait rien raconté de nouveau. Elisabeth comprenait mal l'enthousiasme de son mari mais elle l'accepta comme la logique des choses.

— Tu ne dis rien?

— Je dis que tu vas changer une Elisabeth pour une autre pendant trois jours.

Tandis qu'elle préparait le souper et que Gérard inspectait sa garde-robe avec l'excitation d'une petite fille qui va passer sa première fin de semaine chez sa grand-mère, Elisabeth se demanda — oh! le temps d'un éclair — si Gérard ne l'avait jamais trompée. Mais la réponse lui vint presque en même temps que la question: sûrement pas; il n'en avait pas le temps et ses préoccupations étaient d'un autre ordre.

Gérard aussi s'était déjà posé cette question, mais pas au sujet d'Elisabeth: sur lui-même. Un jour, tromperait-il sa femme? Bien que leur vie conjugale fût encore très jeune, leur activité sexuelle se réduisait au minimum. Elisabeth ne semblait jamais éprouver de désir. En tout cas, elle ne prenait jamais d'initiative. Mais elle ne se refusait jamais non plus. Cela suffisait à Gérard. Nul ne peut servir deux maîtres à la fois: Dieu et Mammon, l'esprit et le corps, la carrière et le sexe. Affaire classée.

— XIX —

Puisque Gérard s'absenterait une longue fin de semaine, pourquoi ne pas en faire autant de son côté? Combien de fois Elisabeth n'avait-elle pas reçu de pressantes invitations de Ghislaine, ancienne collègue de la banque, maintenant installée à Québec? La dernière lettre remontait à quelques jours seulement. C'était l'occasion ou jamais de céder à la tentation. Elle partirait vendredi soir, par le train de dix-huit heures et reviendrait lundi après-midi. Tout semblait concourir à cette escapade: depuis un mois, le lundi était sa journée de congé.

«Rien ne presse, se dit-elle, mieux vaut laisser passer une nuit avant de téléphoner à Ghislaine, au cas où je n'aurais pas pensé à tout.» Vingt-quatre heures plus tard, elle se demandait s'il fallait appeler Ghislaine avant ou après avoir réservé sa place dans le train. Elle fit d'abord la réservation, puis entendit au bout du fil les joyeuses exclamations de Ghislaine.

Les jours qui suivirent furent remplis pour le couple de pensées fébriles. A peine échangeaient-ils quelques mots, chacun étant absorbé dans sa joie intérieure. Pour Gérard, rien ne comptait que d'avancer sans cesse. Un défi n'attendait pas l'autre, son ambition était insatiable. Elisabeth vivait d'avance en imagination sa fin de semaine chez Ghislaine. Elles allaient s'en raconter des choses. remémorer de vieux souvenirs, sortir, s'amuser...

Dans le train, elle lut un peu, mais elle manquait de concentration. Elle se mit à observer les gens: un monsieur à moustaches, dans la soixantaine. Il ressemblait au vieux savant du film de Polanski: *Les Vampires*, *La Nuit des vampires*. Non, il me semble que ce n'était pas tout à fait cela. Ah! le bal! *Le Bal des vampires*. Il y avait aussi le petit garçon avec des biscuits plein les mains et la bouche. Cette femme qui l'accompagnait pouvait-elle être sa mère? Un peu trop vieille pour être sa mère; trop jeune pour être sa grand-mère.

Du wagon voisin arrivèrent des voix courroucées. Une histoire entre fumeurs et non-fumeurs. Les droits des uns et les droits des autres méritaient-ils le même respect? Comment les respecter en même temps? Quels critères conféraient la priorité? Il suffisait d'ouvrir la porte et d'inviter l'un des deux à changer de wagon. Ce que l'on fit. Elle regarda sur les vitres les cigarettes barrées d'une oblique rouge pour savoir à quel clan elle appartenait, dans quel camp elle s'était rangée, bien à son insu.

Y avait-il des wagons pour dormeurs et non-dormeurs? Ronfleurs et non-ronfleurs? Ses yeux s'appesantirent.

Quand elle embrassa son amie à la gare, il sembla à Ghislaine qu'elle n'avait jamais quitté Elisabeth tant elle avait, elle aussi, vécu en rêve leurs retrouvailles. Elles se mirent à parler de choses et d'autres sans perdre une minute, parfaitement à l'aise, et riant sans cesse. Comme s'était bon que cette amitié retrouvée! Au temps de la banque, elles avaient l'habitude de prendre le thé ensemble: thé chaud l'hiver, thé glacé l'été. Elles avaient baptisé la pause-café du nom de pause-thé. Une théière bien chaude, un gâteau à l'orange, un bon feu de foyer pour amortir les derniers soubresauts de l'hiver, il ne fallait rien de plus pour prolonger la soirée jusqu'à quatre heures du matin. Guy, le mari de Ghislaine, avait souhaité bonne nuit aux femmes vers une heure; il travaillait le samedi.

Les jumeaux furent les premiers réveillés le lendemain. Deux charmants anges blonds âgés de deux ans. Maman et tante Elisabeth en tenaient chacune un par la main une bonne partie de la journée. On ne quittait un magasin que pour entrer dans un autre. La question du lunch fut vite réglée et sans mot dire. Presque d'instinct, les deux jeunes femmes se dirigèrent vers un McDonald. Un hamburger et des frites régalèrent les estomacs vides. Les jumeaux s'échangèrent des frites au vinaigre contre des frites au ketchup et ils transportèrent avec eux le reste de l'après-midi des signes tangibles du marché conclu.

Pas question pendant ces quelques jours d'aller au concert ou au cinéma. Les femmes avaient tant à raconter! Elisabeth parla de Jean-Luc, de la photo. Elle s'étonna de passer tant d'heures loin de Gérard sans même penser à lui. Ghislaine l'encourageait: «C'est normal, c'est la première fois que tu t'évades une peu. Profites-en.» Elles passèrent le dimanche à la maison, en bavardages et en petites gourmandises. D'ailleurs les jumeaux, sans doute fatigués par leur sortie de la veille, avaient besoin de repos. André surtout, qui avait toussé toute la nuit.

Ghislaine faisait du macramé. Elle termina devant Elisabeth la jardinière qu'elle avait commencée pour elle aussitôt reçue la nouvelle de sa visite, et lui en fit cadeau. Elisabeth apprit le secret de quelques noeuds et se promit d'éprouver son savoir-faire dès ses premiers moments libres à son retour.

— XX —

Souvent, Elisabeth profitait de ses congés et fins de semaine pour visiter des expositions. Elle choisissait dans le cahier Arts et Lettres de *La Presse* la liste des galeries où exposaient des photographes. Contempler les oeuvres des autres faisait partie de son apprentissage. Elle étudiait vigoureusement la technique et l'esthétique des pièces exposées, prenait des notes utiles et essayait ensuite de répéter les exploits des experts, amateurs ou prnfessionnels. Parfois, la vue d'une photographie lui inspirait une idée originale qu'elle mettait à l'épreuve à la première occasion. Elle ne parlait pas à Jean-Luc de ses fréquentes visites aux galeries, jusqu'au jour où elle l'y rencontra par hasard.

Dès lors, ils se donnèrent rendez-vous plus d'une fois. Ils éprouvaient un plaisir réel à échanger leurs impressions devant une oeuvre. Elisabeth demandait conseil à Jean-Luc sur la façon de réaliser tel ou tel effet. Lui, se sentait heureux de parler de ce qu'il aimait. Parfois même, Elisabeth disait à Jean-Luc comment elle s'y prendrait pour photographier un sujet qu'elle avait en tête et le professeur ne pouvait faire autrement que de la complimenter sur son originalité et son art inné. Elle marquait des points, en théorie et en pratique, et se valorisait à ses propres yeux.

Comme Jean-Luc préparait lui-même une exposition, la première où il serait le seul exposant, il demanda à Elisabeth une aide occasionnelle, le soir. Elle accepta avec joie, joie mêlée d'une sorte de fierté, puis pensa à Gérard.

De son côté Gérard était appelé de plus en plus souvent à dîner à l'extérieur avec des collègues ou des clients. Lorsqu'il ne mangeait pas à la maison, Elisabeth avalait en vitesse ce qu'elle pouvait de plus rapide et se rendait chez Jean-Luc. Pas de cuisine, pas de vaisselle, un véritable congé.

Ils passaient de longues heures à choisir des photos, à retoucher, à agrandir. Dans l'intensité de leur travail, ils oubliaient parfois qu'ils étaient ensemble. Ils se concentraient sur ce qu'ils faisaient, écoutaient de la musique sur la bande FM. Le bonheur semblait naître de leur application.

Chez Jean-Luc aussi il y avait un foyer, mais il se reposait maintenant que la belle saison s'était définitivement établie. Elisabeth se remémora les jours agréables de mars chez Ghislaine.

— XXI —

Depuis quelque temps, Jean-Luc pressentait un malheur. Elisabeth attribuait son apparente nervosité au surcroît de travail des dernières semaines en vue de l'exposition. Un jour elle arriva chez Jean-Luc en même temps que le facteur, et elle se chargea de remettre au destinataire une revue, un compte de téléphone et une lettre de la commission scolaire qui engageait Jean-Luc. Un bref coup d'oeil sur l'adresse de retour lui suffit; il hocha la tête et dit: «Ca y est!» Il n'ouvrit même pas l'enveloppe. Il en connaissait d'avance le contenu. La curiosité d'Elisabeth grandissait mais elle craignait de se montrer indiscrète en posant des questions. Après quelques minutes de silence lourd, Jean-Luc comprit l'attitude d'Elisabeth et dit: «Je suis surnuméraire.»

Ignorante des conventions collectives, des conditions d'emploi et de tout ce qui regarde le monde de l'enseignement et de la survie dans ce milieu, Elisabeth interrogea:

— Qu'est-ce que cela veut dire?

— Ca veut dire, reprit Jean Luc, que je n'ai pas de poste pour septembre. Comme la population scolaire diminue d'année en année, les professeurs qui comptent le moins d'années de service à leur crédit se retrouvent en surplus de personnel. J'étais le dernier sur la liste, je m'y attendais. Déjà l'an dernier mon poste a été sauvé par la retraite anticipée d'un professeur âgé.

Elisabeth n'en croyait pas ses oreilles.

— Tu vas porter plainte, j'espère, tu ne te laisseras pas faire! Il y en a sûrement de moins qualifiés et moins compétents que toi!

Jean-Luc sourit de cette bonne volonté naïve:

— Ce n'est pas comme ça que les choses se passent, malheureusement. Dernier arrivé, premier à partir, c'est tout ce qui compte. Que tu fasses ton métier avec amour et compétence ou que tu perdes ton temps en attendant ton chèque aux quinze jours, ça ne pèse pas lourd dans la balance. Pourvu que tu ne déranges pas trop la direction avec des cas d'élèves et que tu n'appelles pas trop souvent les parents, ça va. Le bobo dans l'enseignement, c'est d'être jeune. Triste situation. Aussi bien en rire puisqu'on ne peut s'en sortir autrement.

Le mot «rire» réveilla l'humour d'Elisabeth:

— En conclusion, la jeunesse est une maladie qui guérit avec les années, «un mal qui répand la terreur, mal que le Ciel en sa fureur inventa pour punir les crimes de la terre,» un mal dont le temps seul vient à bout, dont le temps est l'unique remède..., récita-t-elle solennellement, d'un ton théâtral avec force gestes. Jean-Luc se retourna d'un bond:

—Il faut fêter ça! Buvons à ta santé, et à ma guérison!

Ils ne s'étaient pas encore mis au travail; rien ne pressait. Elisabeth songeait: de quoi vivrait Jean-Luc l'an prochain? D'amour et d'eau fraîche? Va pour l'eau fraîche, mais d'amour, dans sa vie, il ne semblait pas y en avoir. Quel âge avait-il? Vingt-neuf? Trente? Sûrement pas plus. Peut-être vingt-huit?

Comme s'il avait entendu les questions d'Elisabeth, Jean-Luc dit:

— J'ai vingt-huit ans, rien devant moi, et rien derrière. Plus de carrière, plus d'économies. La photo coûte cher, et je dépense ce que je gagne au fur et à mesure. Bien sûr, j'ai droit à une année de salaire, mais en échange, je devrais faire de la suppléance, te rends-tu compte? Non merci! Quand tu as tes propres élèves, ce n'est pas la même chose: tu les formes, ils te connaissent, tu les connais. Mais du baby sitting, non madame. J'aime mieux tout abandonner et me lancer à corps perdu dans la grande aventure de la photographie.

L'avant-midi passa en discussions; Elisabeth, malgré qu'elle se trouvât pour la première fois face à une situation semblable, donna de judicieux conseils à Jean-

Luc. S'il démissionnait et qu'un poste s'ouvrît en septembre, il le perdrait. D'autre part, mieux valait s'assurer quelques mois de salaire tant qu'il ne serait pas certain de pouvoir subsister avec la photo comme métier. Jean-Luc décida donc d'entreprendre la prochaine année comme suppléant, quitte à démissionner en cours d'année. Il visait Noël. Quatre mois, ce ne serait pas trop difficile à traverser. Restait à terminer l'année en cours. Il lui sembla que l'école était désormais très loin de ses préoccupations et, depuis quelques minutes, dénuée de tout intérêt.

Pendant les vacances d'été, Jean-Luc fut tellement sollicité pour des mariages qu'il dut à quelques reprises demander l'assistance d'Elisabeth. Deux professeurs de son école avaient été ses premiers clients. Avec leurs deux épouses, Jean-Luc comptait quatre personnes satisfaites de son travail. De bouche à oreille, la publicité se fit rapidement. Son nom circula et les contrats se multiplièrent. Pas question pour l'instant de faire de la photographie en studio. A l'automne, il songerait à s'installer.

— XXII —

A l'exposition, Jean-Luc remporta un troisième prix pour un noir et blanc 35 cm. x 45 cm. L'an prochain, peut-être participerait-il à titre de professionnel.

Les mariages diminuaient au rythme des feuilles dans les arbres. Jean-Luc avait repris le chemin de l'école, mais la suppléance demeurait rare encore, en septembre. Il disposait donc d'heures disponibles pour réfléchir à son installation. Il fallait déménager. Il ne trouva ni difficulté à sous-louer son luxueux appartement ni objection de la part du propriétaire. Il chercha un logement dans lequel il pourrait aménager un studio complet, avec une salle de développement et de montage, une chambre noire. Il faudrait faire des modifications, comme des raccordements de tuyaux. Encore des frais. Et même s'il déboursait tout de sa propre poche, le propriétaire accepterait-il qu'on touche à son bien?

Au début d'octobre, Elisabeth trouva l'occasion rêvée. Un photographe venait de mourir. Sa veuve offrait en location le studio aux conditions suivantes: le locataire devait acheter l'équipement qui se trouvait sur les lieux et louer en même temps de logement du deuxième. La vieille femme, aux prises avec des ennuis de santé, ne voulait avoir affaire qu'à une seule personne et ne se sentait pas la force de procéder à un encan pour liquider le matériel. L'annonce ajoutait: «Toute offre raisonnable acceptée. Occasion idéale pour jeune photographe désirant s'établir à son compte.»

Le coeur battant, Elisabeth téléphona à Jean-Luc à l'école même. Elle ne pouvait attendre la fin de la journée. Oui, il y avait un bon Dieu même pour les photographes. Jean-Luc ne perdit pas de temps. A quatre heures trente, il rencontra Elisabeth et ensemble ils allèrent visiter les lieux. Ils en ressortirent avec un bail signé et une clientèle qui n'aurait même pas le temps de s'apercevoir que le photographe du quartier avait rajeuni.

— XXIII —

Depuis seize mois. Gérard n'avait pas pris de vacances. Epuisé, il perdit toute résistance à la maladie et se vit condamné au lit une semaine avant Noël.

Plus le temps passait, plus Elisabeth devenait autonome. Elle s'épanouissait comme une femme qui vit seule, c'est-à-dire qu'elle cessait peu à peu de s'en faire à cause de la distance qui la séparait de son mari. Pourtant, le fossé se creusait de jour en jour, mais l'épouse avait appris à penser autrement, à ne plus tout attendre de Gérard, à se dire qu'il n'était pas absolument nécessaire qu'un mari soit à la fois un amant merveilleux et le meilleur des amis. Les époux se voyaient de moins en moins souvent. Ils ne se parlaient presque plus. Jamais de querelles pourtant. Gérard ne souffrait pas de cette situation; Elisabeth n'en souffrait plus. Comme tout être humain, Gérard avait sans doute besoin de parler à quelqu'un, de faire part de ses projets, d'annoncer ses réussites, mais il avait des collègues pour cela. Se femme ne connaissait rien du commerce, du marché, des affaires, de la finance. Inconsciemment, Gérard se considérait comme supérieur à elle; elle ne pourrait jamais accéder à son monde à lui.

Les premiers temps de sa vie conjugale, ELisabeth souffrait profondément de ne pouvoir dire à son mari des choses qu'elle aurait pu confier facilement à d'autres: ses compagnes de travail, ou Jean-Luc par exemple. Elle trouvait anormal de raconter à des étrangers ce qu'on ne peut même pas dire à son propre mari. Alors elle se taisait, et son besoin de communication demeurait insatisfait. Peu à peu elle s'était libérée et avait commencé à s'ouvrir à Jean-Luc surtout. Avec Ghislaine, c'était plus difficile à cause de la distance. Toutefois, les deux jeunes femmes s'écrivaient régulièrement et fréquemment.

En janvier, Gérard fut envoyé à Toronto. Pendant une semaine, il devait étudier une nouvelle politique de mise en marché. Son intelligence méthodique, sa facilité d'assimilation, sa capacité de transmettre des données concises et ordonnées au retour faisaient de lui le candidat parfait. Aussi l'unanimité se faisait-elle toujours sans hésitation autour de son nom.

La semaine écoulée, le froid, la neige et le verglas empêchèrent le départ de l'avion pour Montréal. Gérard téléphona à Elisabeth pour lui dire qu'il ne rentrerait que le lendemain. Elle n'était pas à la maison. Le lendemain d'ailleurs, la tempête s'était déplacée vers Montréal et les aéroports avaient annulé toutes les arrivées. Gérard décida de passer la semaine entière à Toronto. N'avait-il pas droit à quelques jours de congé lui aussi? Il avait été malade avant les Fêtes et sentait qu'il n'avait pas totalement récupéré ses forces. L'hiver se montrait rigoureux et peut-être n'en aurait-on pas fini avant longtemps avec lui.

Gérard avait un ancien camarade à Toronto. Ils avaient fait ensemble leurs études secondaires, puis collégiales, l'un en sicences pures, l'autre en administration. Bastien était devenu médecin et avait commencé sa carrière en Ontario, dans une clinique où l'on demandait un médecin francophone. Il n'était jamais revenu au Québec. «Je vais lui faire toute un surprise!», se dit Gérard en ouvrant l'annuaire du téléphone. «Hello! Doctor Bastien's office...»

— XXIV —

Trois jours de suite, le téléphone sonna en vain chez Elisabeth, à des heures différentes. Gérard ne s'inquiétait pas, mais demeurait perplexe. Et incommodé surtout, de devoir reprendre sa tentative. Dimanche et lundi, elle ne travaillait pas; rien de plus normal que de sortir un peu. «Je parie qu'elle est encore allée chez son espèce de Jean-Louis... Jean-Claude...» Une idée saugrenue essaya de germer dans son esprit mais il l'étouffa aussitôt. Si Elisabeth le trompait, c'était tant pis pour elle. D'abord qu'on n'en sache rien. Même lui n'en souffrirait pas s'il n'en savait rien. Il préféra ne pas se poser de questions. Quelle folie de s'imaginer des choses semblables! Il ne manquerait plus que ça, la jalousie. Il aimait mieux ne pas savoir: à quoi bon se créer des ennuis quand on peut s'en passer? «Arriver! Arriver! Avancer! Monter! Plus haut! Plus loin! Plus fort!» Sa respiration, ses battements cardiaques, sa vie entière se réglaient sur cette cadence.

Rien ne devait arrêter Gérard dans sa course vers le succès. Dans quelques années encore, il serait le PDG d'une nouvelle entreprise, née de ses efforts, de son sang. Les enfants de la chair, eux, il n'en avait pas besoin pour prouver qu'il était quelqu'un. N'importe qui peut en faire. D'ailleurs, Elisabeth n'en parlait jamais non plus; c'était une chance. On pouvait dire qu'elle était compréhensive et qu'elle collaborait! Ce serait bien le pire temps pour avoir un rejeton. Son frère, qui avait de l'expérience comme père de famille, ne cessait de se plaindre de l'inflation et de dire combien le dernier bébé coûtait cher. Discutant un jour de la rapidité des changements dans la façon de nourrir, d'entretenir et d'élever les enfants, il avait conclu: «Très avantageux, les couches en papier, mais figure-toi qu'on ne les donne pas: on les vend!»

— XXV —

Déjà il fallait songer à la prochaine exposition de photographie. Jean-Luc avait conçu un plan. Il se bornerait à un seul sujet, il ne participerait qu'à une catégorie du concours pour ne pas éparpiller ses efforts. «Ce que j'aurais aimé présenter, c'est une série de créations à partir de nus», expliqua-t-il à Elisabeth. «Bonne idée, tu en as de prêts?»

Jean-Luc ferma les yeux. Quel cruel souvenir Elisabeth venait de réveiller! Il en avait, oui, mais ce n'est pas à ceux-là qu'il pensait. Si Christine vivait encore, il aurait continué de travailler avec elle. Mais sa disparition avait jeté l'interdit sur tout ce qu'elle avait laissé d'elle-même. Les anciennes photos devenaient sacrées: elles n'appartiendraient jamais au grand public.

Pas besoin d'être diplômé en psychologie pour comprendre qu'il se passait quelque chose de terrible dans l'esprit de Jean-Luc. Elisabeth se sentait coupable, coupable de n'avoir pas su, et s'excusa. «Tu n'as rien à te reprocher,» dit Jean-Luc. «Tu as droit à des explications. Vois-tu, j'ai été marié, deux ans. Christine avait le corps le plus splendide qu'il m'ait été donné de voir. Une sculpture parfaite qui s'animerait tout à coup. Sa peau veloutée. Et ses seins... ses seins...»

Il s'arrêta de parler et alla chercher une grande boîte. Elle contenait un album blanc et plusieurs enveloppes portant des dates inscrites au crayon feutre. Sur la page de garde de l'album, une calligraphie des plus délicates avait tracé: Les Seins.

Elisabeth tourna en silence la vingtaine de pages de l'album. Seins et fruits, seins et fleurs, seins ornés de chaînes d'or. Ces photos étaient lourdes de l'admiration d'un homme pour la femme aimée, chargées de sentiments secrets. Elle comprit pourquoi Jean-Luc n'avait rien de prêt pour l'exposition.

«Elle t'a... laissé?» interrogea-t-elle timidement, si timidement qu'elle entendit à peine sa propre voix. «Oh! non, que penses-tu là? Non, Christine est morte... d'un cancer. D'un cancer du sein. Tu vois comme la vie se moque atrocement des pauvres humains que nous sommes.»

— XXVI —

Pendant plusieurs séances de travail, les deux photographes ne parlèrent plus de nus ni du projet de Jean-Luc. Un jour, Elisabeth lui dit: «Si tu veux, je vais travailler avec toi.»

— «Toujours? Tu veux dire quitter la banque et devenir photographe?» C'est en effet ce à quoi pensait Elisabeth, mais Jean-Luc pour sa part n'avait jamais songé à prendre une employée permanente. Il lui payait ses services, bien sûr, lorsqu'il requérait son aide. Cependant, une telle proposition, aussi imprévue, demandait réflexion. Elisabeth pourtant ne désirait pas devenir l'employée de Jean-Luc, mais son associée. Elle disposait d'une somme assez considérable pour qu'il lui soit plausible de viser un tel but.

La proposition plut à Jean-Luc. Ils l'examinèrent sous tous ses angles. Les dépenses seraient partagées, les recettes aussi. Ils départagèrent le montant du loyer alloué au logement de Jean-Luc et celui de l'atelier, le premier ne concernant que Jean-Luc. Ils dressèrent la liste du matériel nouveau qui leur manquait et que leur association leur permettrait d'acheter.

Plusieurs séances de travail, parce qu'elles étaient entrecoupées de discussions, se prolongèrent au-delà des heures habituelles. Quand tout fut pensé et ordonné, Elisabeth annonça sa décision à Gérard.

Il ressentit comme un pincement au coeur. Elle n'en avait jamais parlé, n'avait manifesté aucune ambition, et elle avait réussi, avant lui.

— XXVII —

Elisabeth et Jean-Luc badinaient, et ils trouvèrent des dizaines de noms d'affaires, les uns plus cocasses que les autres. Ils s'amusaient et rivalisaient d'imagination. C'était à qui ferait rire l'autre davantage. Ils s'arrêterent enfin sur un nom très court, simple et significatif puisqu'il était formé des deux premières lettres de Jean, de Elisabeth et de Luc: JELU, photographes.

C'est à Ghislaine qu'Elisabeth envoya sa première carte d'affaire. Puis elle en distribua à la banque et en plaça sur les comptoirs. Elle en donna un paquet à Gérard pour le bureau, les mêmes qu'elle retrouva deux mois plus tard, éparpillées dans un tiroir du secrétaire, quand elle en fit le ménage.

Ghislaine lui répondit qu'elle viendrait bientôt à Montréal et qu'elle en profiterait pour obtenir ses photos de passeport, ainsi que celles de son mari et des enfants, car la famille projetait de passer l'été en Suisse, chez les parents de Guy.

Jean-Luc avait donné sa démission à la commission scolaire. Sa nouvelle voie lui convenait parfaitement. Il regrettait seulement de ne pas s'y être engagé plus tôt. Il se souvint d'une assertion de son père autrefois: «Quand un homme se trompe de chemin, la vie se charge de le remettre à sa place.» Il était heureux et tout allait à merveille.

Pour cette année, mieux valait abandonner l'idée de l'exposition. Il se reprendrait l'année suivante. Il préférait sauter une année au lieu d'exposer n'importe quoi, en vitesse, et qui le priverait de la joie du travail bien fait. Le travail avait la valeur de la satisfaction qu'il apportait.

On était déjà en avril. La fin du mois fêta l'ouverture officielle du studio sous nouvelle administration. Parents, amis et clients habituels goûtèrent le punch et le buffet froid. Gérard arriva en retard — j'avais une réunion des plus importante — et partit avant la fin de la soirée, s'excusant auprès d'Elisabeth de ne pouvoir l'attendre car il était très fatigué.

Cependant, quand Elisabeth rentra, il regardait la télévision, Il parla vaguement de choses et d'autres. Jamais il n'avait accordé un mot d'encouragement à sa femme. Elle faisait seule son petit bonhomme de chemin, comme une veuve ou une célibataire. Elle n'avait pas droit aux félicitations de Gérard. Qu'y avait-il d'extraordinaire d'ailleurs à s'associer avec quelqu'un qui est déjà en affaires, et qui plus est, a hérité d'un studio déjà installé? N'importe qui pourrait en faire autant.

— XXVIII —

Au studio le lendemain, la première cliente regarda Elisabeth comme si sa figure lui rappelait quelqu'un. Au moment de noter le nom et l'adresse de la cliente, Elisabeth répéta à haute voix: «Gisèle Lavoie, 2e année B». Ses yeux plongèrent dans le sourire bleu gris de Gisèle. Elles s'embrassèrent.

— Pas Elisabeth? C'est incroyable! Presque vingt ans et je te reconnais encore, seulement, je n'étais pas tout à fait certaine.

— Qu'es-tu devenue? Es-tu mariée?

Jean-Luc s'était levé plus tard qu'à l'habitude, car la veille il était resté seul après le départ des invités, à tout remettre en ordre. Il avait même renvoyé Elisabeth qui avait profité de la voiture d'un ami. Dès son entrée, il vit Gisèle et s'exclama:

— Bonjour! Qu'est-ce que tu fais ici? Tu n'as pas de cours aujourd'hui?

— Oui, mais je commence à dix heures seulement. J'en ai profité pour visiter ton studio puisque je n'ai pu venir hier soir, et en même temps, j'avais besoin de photos de passeport.

Elisabeth demeurait bouche bée:

— Comment, vous vous connaissez?

— Mais oui, j'enseigne à la même école que Jean-Luc, enfin, son ex-école. L'an prochain, ce sera mon tour de parler de mon ex-école, car je pars pour l'Angleterre. Un échange de professeurs.

— Mais tu reviendras?

— Sait-on jamais, l'avenir nous réserve parfois des surprises. La vie nous appartient, mais la destinée, non.

— En tout cas, une chose dont on peut être sûr, c'est que ceux qui disent que le monde est petit ont bien raison. Gisèle Lavoie! Je n'en reviens pas encore!

— XXIX —

Les jours ensoleillés se succédaient. Le soleil de mai est le plus agréable. Pas encore d'humidité dans l'air, pas d'écrasante chaleur, il arrive après une absence si longue que l'on soupire de soulagement à son retour.

Elisabeth se souvint de l'idée de Jean-Luc.

— Si on faisait des nus?

Des nus de qui?

De moi, voyons! Suis-je donc si repoussante?

— Tu es très belle, Elisabeth, il ne s'agit pas de beauté. Mais je n'aurais jamais osé te le demander car... car j'étais sûr que tu n'aurais pas accepté.

— C'est une question de travail, pas autre chose. Il n'y a rien de gênant ni de répugnant à poser nue. Le Parnasse: l'Art pour l'Art, tu te souviens de ta littérature?

C'était l'anniversaire d'Elisabeth et c'est elle qui offrait un cadeau à Jean-Luc: un modèle vivant.

— Quand commencerons-nous?

— Dès que tu voudras. Je voudrais poser une condition, cependant: je ne veux pas qu'on voie ma figure. Pour les autres, tu comprends.

Jean-Luc fit signe que oui, qu'il s'agissait d'une évidence, puis changea de conversation:

— Quel jour est-ce aujourd'hui?

— Mardi.

— Mardi quelle date?

— Le 11; pourquoi?

— Parce que c'est ton anniversaire, oh! femme secrète. Mais j'ai ma boule de cristal et je sais tout.

— Ca alors! Comment as-tu su?

— N'oublie pas que nous sommes associés! Tous mes voeux, Elisabeth. Et tu me feras un grand plaisir d'accepter ceci.

— Jean-Luc!

C'était une très fine chaîne d'or, avec une perle en cage. La délicatesse du bijou charma Elisabeth, et la délicatesse de Jean-Luc l'émut. Elle ne put s'empêcher de penser à Gérard. Que lui dire? Comment réagirait-il? Elle dirait qu'elle s'était fait un cadeau puisque lui, Gérard, n'y avait pas pensé. Elle se sentait un peu mal à l'aise cependant: Elisabeth ne savait pas mentir, et ce mensonge même tendait à rendre louche une situation pourtant si claire. Elle opta pour la vérité. Il n'y avait rien de mal à accepter un cadeau d'un ami, même pour une femme mariée. Après tout, entre elle et Jean-Luc, les relations s'étaient établies sur la franchise et pas même une pensée équivoque ne les avait jamais effleurées.

En rentrant à la maison, elle trouva des fleurs sur la table. Des giroflées sentant bon le poivre. Tout en tirant la carte de son enveloppe, elle appela Gérard. Deux fois, trois fois. De toute évidence il n'était pas dans la maison. Se cacher pour faire une surprise ne lui ressemblait guère. Elle lut la carte: «A ma femme chérie. (Une formule toute faite, pensa-t-elle.) Bon anniversaire. Gérard.» Et dans le coin: Verso. «Désolé, je ne puis rentrer tôt. Je suis passé me changer. Nous aurions pu dîner aux chandelles.» Elle eut envie de rire. Dîner aux chandelles. Il l'offrait quand c'était impossible. Parce que c'était impossible. Gérard n'avait jamais aimé les chandelles; il les supportait à peine si la pièce était bien éclairée. Mais la lumière seule des chandelles, vacillante, blafarde, lui coupait l'appétit. Elle les adorait; il semblait normal qu'il les déteste.

Elisabeth n'avait pas faim. Manger seule le jour de mon anniversaire. Je fais la grève de la faim! Elle passa au salon, avec ses fleurs, s'assit par terre, dans une traînée de soleil de fin d'après-midi, et réfléchit. Pouvait-elle continuer pendant trente, quarante ans encore, cette vie conjugale ratée? Gérard ou pas Gérard, quelle différence? Elle menait sa vie seule. Lui faisait la sienne. Ils rentraient sous le même toit le soir, c'est tout. Ils dormaient dans le même lit, mangeaient à la même table, mais se connaissaient peu, ou mal, et ne communiquaient pas. Trois choix s'offraient: premièrement, le statu quo, qui ne pouvait en être un, car la situation irait sans doute se détériorant. «Quand on ne monte pas, on descend», disaient ses maîtresses à l'école primaire. Deuxièmement, une franche explication avec Gérard. On se sépare à l'amiable. Lui garde l'appartement, moi je vais vivre ailleurs. Mais elle repoussa cette possibilité comme trop dramatique. Pouquoi prendre des moyens extrêmes quand la situation était encore passable? Elle s'était habituée à se passer de Gérard. Je n'ai plus besoin de son amitié comme aux premiers temps. Quant à la vie sexuelle, il n'était pas exigeant et Elisabeth n'avait aucune prétention. Cet aspect comptait bien peu pour elle. Restait la troisième solution: essayer un renouement, un retour à la vie de couple. «Chances de succès: zéro», lança-t-elle à voix haute. Gérard-l'enfant-gaté-incapable-de-concessions-ni-de-sacrifices. Un telle opération ne s'effectuait qu'à deux, condition sine qua non. Puis elle repensa aux fleurs. Qui sait si lui-même n'avait pas cherché par ce moyen à se rapprocher d'elle?

Ghislaine. Un sage conseil ne pourrait venir que de Ghislaine. Elle se mit à lui écrire, immédiatement, avant de changer d'idée et de garder toute sa détresse pour elle-même. Le soleil était complètement couché maintenant. Elle alluma la lampe. Et la radio.

Quand elle eut terminé sa lettre, elle regarda l'heure. Elle n'avait pas encore faim mais elle savait bien qu'un peu plus tard elle voudrait prendre une bouchée. Elle pensa à inviter Jean-Luc. Jamais encore il n'était venu chez elle. Mais pour une femme qui a l'intention de renouer sa vie matrimoniale, l'idée d'inviter un homme s'avérait bizarre. Elle et lui seuls. Sa pensée se tourna vers Gisèle Lavoie. Comment la rejoindre? Voilà! J'appelle Jean-Luc, je lui demande son numéro; en même temps je sonde le terrain. Puis si Gisèle est d'accord, je rappelle Jean-Luc et l'invite à se joindre à nous. Aussitôt dit, aussitôt fait.

En attendant leur arrivée, elle prépara quelques canapés. C'était l'occasion ou jamais d'ouvrir la petite boîte de caviar qui se tenait prête depuis les Fêtes. Du fromage, des olives, du saucisson, un plateau de fantaisie et un peu d'imagination.

Jacqueline, la soeur d'Elisabeth, téléphona pour lui offrir ses voeux. Les deux soeurs s'aimaient bien mais se voyaient peu. Elisabeth l'invita avec son mari. «Je ne peux pas bouger: Lorraine est malade. La rougeole. Merci quand même.» Alors Elisabeth profita de l'occasion: «Fais-moi un plaisir, Jacqueline. Rappelle-moi dans une heure environ, ou plutôt une heure et demie, et raccroche dès que j'aurai répondu. D'accord?»

Ainsi, Elisabeth pourrait donner à ses invités les nouvelles de Gérard qu'elle voudrait bien leur donner. S'il n'était pas rentré et s'il ne téléphonait pas. Sauver la face. Faire comme si. Cela lui venait de son enfance. Elle n'avait jamais pu se débarrasser de l'éducation reçue.

— XXX —

On commença les nus par une série intitulée «Chair de poule». Le travail ne présentait aucune difficulté pour Elisabeth. Elle qui détestait le froid n'avait qu'à s'imaginer l'hiver pour que des frissons la parcourent de la tête aux pieds. Peu à peu réchauffée par les réflecteurs, elle devait, pour faire hérisser sa peau, toucher la partie de son corps voulue avec une cube de glace. Elle réagissait admirablement bien. On ne fit ce jour-là que des gros plans. Non seulement Elisabeth étaitelle docile et patiente, mais elle était douée, et un photographe étranger eût sans doute cru qu'elle exécutait ce travail depuis longtemps. Elle-même inspirait à Jean-Luc de nouvelles idées.

Elle se rhabilla en pensant aux résultats. Elle avait hâte de voir les épreuves. Lorsqu'elle fréquentait l'école, elle se sentait beaucoup plus nerveuse après un examen qu'avant. Parfois elle rentrait à la maison en pleurant qu'elle avait échoué; mais lorsque la note paraissait, elle se situait beaucoup plus près du 100 que du 50. Sa mère lui disait: «Tu t'en fais toujours pour rien; tâche de t'en souvenir la prochaine fois!» La leçon cependant n'était jamais définitive.

Le soir, après la fermeture du studio, Ils examinèrent ensemble les photos. La moitié ne présentaient aucune caractéristique particulière. Elisabeth trouva qu'elle avait un joli ventre. Elle préférait de beaucoup la photo de l'avant-bras, à cause du fin duvet qui se hérissait sur la peau. Une chair de poule parfaite. Et un jeu d'ombre si subtil que les poils ressortaient de manière intéressante.

Elisabeth apporta la photo à la maison, entre deux cartons. Pour la montrer à Gérard. A l'avenir, elle lui parlerait souvent de son travail; seulement les aspects positifs, jamais les problèmes. Il avait assez des siens. Mais ce soir-là, pour la première fois, Gérard ne rentra pas du tout. Elisabeth ne s'en aperçut qu'au matin. Elle s'interrompit de faire le lit pour répondre au téléphone:

— J'ai été retenu, mais je rentrerai plus tôt aujourd'hui.

— Toute la nuit?

— Je t'expliquerai. A ce soir.

Elisabeth raccrocha et se dit: «Je t'expliquerai... On verra bien bien s'il en reparlera le premier. Futur simple de l'indicatif: temps qui indique une action que n'est pas encore arrivée.» Une grande tristesse s'empara d'elle. Il faisait si beau dehors, mais le ciel sembla s'assombrir tout à coup. Elisabeth se sentait descendre profondément dans un puits, un grand trou noir. Elle était suspendue par une corde qui sortait de sa tête. Elle cherchait à calculer la longueur de la corde. Celle-ci naissait du néant, s'allongeait sans cesse.

Pour la première fois depuis son association avec Jean-Luc, elle n'alla pas travailler. Elle téléphona au studio:

— Une migraine insupportable. Je viendrai demain. Ou peut-être cet après-midi si je me sens mieux.

— Ne t'inquiète pas. Prends ta journée. Décroche le téléphone et couche-toi. Repose-toi bien.

— XXXI —

Elle n'avait pas envie de dormir. Elle avait besoin de s'accrocher à quelque chose de solide, de sûr, de réel. L'avenir n'est pas réel. Un rêve qui peut se réaliser ou pas. Le passé seul existe vraiment.

Elisabeth grimpa sur un tabouret et prit, sur la tablette de la garde-robe, deux boîtes à chaussures remplies de photos. Toutes les photos qu'elle avait prises depuis l'âge de neuf ans. A cet âge-là, elle avait reçu en cadeau de ses parrain et marraine un petit appareil, tout ce qui existait de plus simple: un boitier, une lentille, un déclencheur. Quel merveilleux cadeau! Et qui aurait dit qu'aujourd'hui, elle ferait de la photographie professionnelle? Au cours des années, elle avait tiré un tas de clichés, elle les avait accumulés. Il fallait bien mettre de l'ordre là-dedans. Elle en prendrait le temps aujourd'hui. Trier. La boîte contenait sûrement des choses affreuses, ou de mauvais souvenirs. Classer par ordre chronologique, dater, identifier. Si je m'occupe pendant quelques heures, je m'empêcherai de trop penser.

Les premières photos se reconnaissaient facilement: un peu jaunies, elles étaient aussi les plus petites. A peine six centimètres sur huit. Elle en examina quelques-unes de près: il fallait presque une loupe pour bien voir tellement les dimensions étaient réduites. De plus, la pellicule coûtait cher. Alors Elisabeth entassait le plus de gens possible sur la même photo. Si elle désirait photographier les premiers pas de son jeune frère, elle invitait aussi ses soeurs à prendre place devant l'objectif. Si elle prenait un groupe d'amis, elle photographiait en même temps leurs chiens et chats; avec la Soeur Supérieure, on était assuré de trouver les autres soeurs du couvent, et même l'école. Le prix de revient au centimètre carré dimunuait d'autant.

L'heure du dîner passa. Elisabeth ne s'en rendit pas compte. Elle avait oublié aussi l'escapade de Gérard et la raison pour laquelle elle était restée à la maison. Elle avait gardé de côté quelques photos pour les montrer à Jean-Luc; puis elle rapporta dans sa chambre les deux boîtes à chaussures. Elle grimpa sans se tenir et le tabouret se renversa. Assise sur le plancher, elle se frottait l'épaule, grimaçant de douleur. J'aurais mieux fait d'aller travailler aussi. Son premier réflexe était souvent de se tenir rigueur des malheurs dont elle était victime.

Elle essaya de se relever mais s'aperçut que sa cheville gauche ne la soutenait pas. Impossible de se mettre debout. Elle se traîna jusqu'à son lit ou elle s'étendit. Après quelques minutes de repos, elle tenta de nouveau de marcher. Catastrophe! La douleur jusque là muette se répandit comme une flamme dans ses articulations. Non seulement Elisabeth ne pouvait pas bouger son pied mais même pas le toucher. Les larmes coulaient tant elle souffrait.

Il faut que j'aille à l'hôpital me faire radiographier. J'ai trop mal. Elisabeth n'avait pas de voiture; elle ne savait même pas conduire et n'avait jamais voulu apprendre. D'ailleurs, même si elle avait su, elle n'aurait jamais pu le faire dans cet état. Elle n'aimait pas beaucoup déranger Gérard au travail, seulement cette fois, les circonstances l'y obligeaient.

— Ecoute, je ne peux absolument pas quitter le bureau avant au moins une heure. Si tu as trop mal, prends un taxi. Sinon, attends-moi. Je te rappellerai dès que j'aurai terminé.

Un chauffeur de taxi n'accepterait sûrement pas de venir la chercher au troisième étage et elle ne pouvait descendre seule. Sa belle-soeur Diane peut-être?

— Ne bouge pas, ma pauvre fille. Je t'envoie Bernard immédiatement; il est en congé aujourd'hui. Moi, il faut que je sois ici quand les enfants rentreront de l'école. Courage!

— XXXII —

Elisabeth s'en tira avec un solide bandage. Ligament déchiré. On plâtre de moins en moins dans ces cas-là. Dix ou douze jours la jambe à l'horizontale. Eviter de marcher.

Le frère de Gérard et sa femme se rendaient compte que quelque chose ne tournait pas rond dans le ménage de Gérard et d'Elisabeth. Mariés depuis près de dix ans, ils avaient eux aussi vécu des périodes difficiles, où tout leur semblait irréversiblement gâté même. Bernard parlait à Diane de son frère et de sa belle-soeur mais ils convenaient qu'il valait mieux ne pas se mêler des histoires des autres.

Bernard ramena Elisabeth chez lui et laissa un message au bureau de Gérard.

Après le souper, Elisabeth resta à la table, causant avec Diane qui lavait la vaisselle. Les hommes fumaient sur le balcon.

— Ecoute, mon petit frère, je ne veux pas mettre mon nez dans tes affaires, mais j'ai la nette impression que ça ne va plus entre toi et Elisabeth. J'en parle le premier parce que tel que je te connais, tu n'en diras jamais rien. Et mieux vaut ne pas attendre qu'il soit trop tard.

La glace était brisée. Il ne restait plus qu'à attendre la colère ou l'indifférence de Gérard. La réponse semblait toute prête. Gérard n'éprouvait aucune répugnance à parler de sa vie personnelle à son frère. Comme s'il en avait eu l'habitude.

— Il est déjà trop tard. A vrai dire, depuis longtemps je songe au divorce. Elisabeth est bien capable de gagner sa vie. La seule chose qui me retient, c'est que ce serait mal vu dans mon milieu. Ces petits scandales-là finissent par nuire à une réputation. Mieux vaut les éviter tant qu'on peut. La vie est supportable telle...

— Supportable! Ca te suffit? Et elle? Vous vous nuisez l'un l'autre; vous allez bientôt vous détruire si vous continuez comme ça. A force de ne pas s'épanouir, on se rabougrit, tu sais.

— Nous ne nous faisons pas de mal.

— Vous ne vous lancez pas de casseroles. Ne pas se faire de bien, c'est une manière de se faire du mal.

— Elisabeth est une femme intelligente et saine. Elle a organisé sa vie de façon à en profiter. Je dirais même à être heureuse. Quant à moi, j'ai d'autres visées, tu le sais.

— Je pense plutôt qu'Elisabeth a organisé sa vie de façon à ne pas trop souffrir, peut-être même à ne plus souffrir de tout. C'est bien loin du bonheur!

— Le bonheur! Le bonheur ne m'apparaît pas comme une priorité. Ni même comme un bien secondaire. Je ne crois pas qu'il existe d'ailleurs. On chasse un malheur pour en retrouver un autre. On change le mal de place mais est-on jamais heureux?

— Sincèrement, je pense qu'on peut l'être. Je pense que je le suis. Et Diane aussi.

— Eh! bien, puissiez-vous le demeurer, même si c'est une illusion qui vous berce.

— T'es-tu demandé ce qu'elle pensait, elle, Elisabeth?

L'un ne croyait pas aux solutions. L'autre n'en voyait pas pour l'instant. Ils restaient tous deux disposés à la confidence. L'accident d'Elisabeth avait fourni une occasion de rapprochement. Gérard sentait que Bernard ferait tout en son pouvoir s'il avait jamais besoin de lui.

— XXXIII —

Jean-Luc fut si heureux de retrouver Elisabeth qu'il l'embrassa spontanément sur les deux joues.

— Tu as l'air bien reposée. Les vacances t'on fait du bien. Tu es plus belle que jamais.

Les séances de pose reprirent. Elisabeth avertit Jean-Luc qu'elle avait décidé de ne plus travailler le soir. Elle avait besoin de passer quelques heures de plus à la maison, disait-elle, mais elle pensait: Il faut reconquérir Gérard avant qu'il ne soit trop tard.

Jean-Luc aimait composer à partir de nus. Par exemple, des marguerites étalées sur la cuisse; une hanche drapée de satin; une grappe de raisins qui semblait naître de l'aisselle et couler sur un sein; des lèvres gourmandes avalant de grosses fraises juteuses. Il fallait parfois beaucoup de temps pour trouver un titre aux photos. Parfois on les changeait lorsque jaillissait une idée plus originale. Ailleurs, la simplicité l'emportait sur la fantaisie: Le Genou sur Clair de lune aux framboises; ou Cheveux au vent plutôt que La Sonate pathétique.

Jean-Luc restait de longs moments à contempler ses oeuvres les plus réussies. Il s'abreuvait de la beauté qu'elles dégageaient. La beauté d'Elisabeth. «Elisabeth je t'aime», récita-t-il tout d'un trait comme une leçon apprise par coeur. Surpris par sa propre voix, il se retourna vers Elisabeth pour voir si elle avait entendu. Absorbée par ses calculs, elle mit un moment à lever les yeux:

— Pardon? Tu me parlais?

— J'ai dit que je suis heureux.

— Moi aussi.

Quelqu'un avait parlé par la bouche de Jean-Luc. Cet autre lui-même qu'il ne connaissait pas. Son âme était montée jusqu'à ses lèvres. Jamais auparavant il n'avait réalisé son amour pour Elisabeth et voilà qu'il l'avait appris lui-même en le lui révélant. Probablement qu'elle n'avait pas entendu. A moins qu'elle ne jouât le jeu de la discrétion? Non, non. C'était mieux ainsi. On ne dit pas ces choses-là sans avoir réfléchi. Un sentiment aussi neuf n'était sûrement pas mûr pour la révélation. Il prendrait le temps d'en faire le tour et déciderait, après l'avoir évalué, s'il le garderait ou le rejetterait.

Il s'endormit très tard cette nuit-là. Il pensait à Elisabeth, à lui, à Elisabeth et lui. A lui surtout. Il essayait de démêler le noeud dans sa tête, dans son coeur. Elisabeth était très belle; personnalité charmante; compagne agréable; femme intelligente. En pensée, il la sortait de sa vie pour voir si elle creusait un vide. L'expérience ne valait rien. Elisabeth était toujours là et il savait qu'il la reverrait le lendemain. Il se dit que, privé de femme depuis longtemps, il se serait attaché de la même façon à une autre. Quoi de plus normal que d'aimer Elisabeth. N'était-elle pas aimable? Et lui libre? Libre! Voilà. Elle ne l'était pas. S'il l'aimait, l'aimerait-elle, elle? Elle avait engagé sa vie avec un autre. Etait-elle libre de l'aimer, lui? Non pas seulement cette liberté qu'entravait son mariage avec Gérard, mais la liberté que confère le besoin, le désir, le recherche du bonheur. Aimer Jean-Luc, serait-ce un bien, un mieux pour Elisabeth? Et être aimée de lui changerait-il quelque chose dans sa vie? Serait-elle plus heureuse?

Il semblait à Jean-Luc que cet amour n'apporterait rien de plus à Elisabeth. Sa propre plénitude comblait la jeune femme. Il n'avait aucune intention de déranger son cheminement et de troubler ses pensées. C'est pourquoi il décida de l'aimer en secret.

— XXXIV —

L'été avait ramené la vague des mariages, ce qui signifiait des fins de semaine très lourdes pour les photographes. Les revenus arrondissaient le compte en banque. De plus, Jean-Luc avait remporté le premier prix de 2 000 dollars lors d'une exposition-concours spéciale tenue en juin. Il avait partagé la prime avec Elisabeth. Elle projetait d'acheter à Gérard un bracelet en or portant son nom pour son anniversaire. En plus du cadeau, elle pourrait changer le couvre-lit et les tentures de leur chambre et même se permettre quelques fantaisies. Si la maison devenait plus agréable à vivre, cela influencerait peut-être le comportement de Gérard. L'extérieur l'attirerait moins. Je ne perds rien à essayer. Si mon mariage échoue quand même, j'aurai fait tout mon possible pour le sauver. Je ne dis pas cela pour me donner bonne conscience. C'est vrai que j'ai beaucoup tardé; mieux vaut tard que jamais.

— XXXV —

Ghislaine visitait la Suisse. Elisabeth reçut deux cartes postales la même semaine. Elle rêva à la Suisse. Quand Ghislaine reviendrait, Gisèle partirait pour l'Angleterre. Un an. Peut-être deux si tout allait bien. Elle regrettait de perdre Gisèle si peu de temps après l'avoir retrouvée. Elles auraient pu grandir ensemble et cultiver une amitié enrichissante pour toutes deux.

Autrefois songea-t-elle, les mariages duraient toute la vie; les amitiés se juraient à la vie à la mort; maintenant, on change de métier plusieurs fois dans une vie: Jean-Luc par exemple, et on change d'habitation et de mode de vie et d'amis aussi. C'est cela, le siècle de la vitesse. On vit plusieurs époques dans une même vie.

Si elle avait à changer de métier de nouveau, que ferait-elle? Oui, la médecine l'avait tentée, il y a bien des années. Avait-elle vraiment vécu si longtemps? Maintenant, ce serait plutôt le journalisme. Reporter. Ou photographe de presse. Métier intéressant mais qui deviendrait rapidement dur pour de vieilles jambes. Elle vieillirait mieux dans son studio. Elle s'userait moins. La sonnerie du téléphone mit fin à sa méditation.

— XXXVI —

Le jeudi, les clients se faisaient rares. Le magasinage prenait leur temps; de plus, les coiffures de la fin de semaine précédente avaient perdu leur attrait. C'était la journée où Jean-Luc et Elisabeth disposaient du plus de temps pour leurs autres travaux. Il leur arrivait parfois même de fermer boutique et de monter au logement de Jean-Luc pour y travailler sans être dérangés.

— Pour une fois qu'j'ai pensé à apporter mon thé glacé, j'ai le goût d'un thé chaud. On gèle cet après-midi, tu ne trouves pas? Je peux faire chauffer de l'eau?

— Fais comme chez toi, Elisabeth.

— Tu en veux?

— Non. Mois, je vais me contenter d'un petit cognac.

— Ah! Ah! Monsieur boit en service?

— Oui. A ta santé!

Aussitôt le thé prêt, ils se mirent à l'oeuvre.

— Il va falloir reprendre les deux dernières de la semaine passée. Je ne sais ce qui est arrivé mais j'ai vraiment travaillé comme un débutant.

— Lesquelles déjà? Les seins?

— Oui, avec les mains.

Elisabeth se déshabilla avant de réinstaller l'éclairage pour donner aux marques de son soutien-gorge le temps de s'estomper.

— Qu'il fait froid aujourd'hui! On dirait l'hiver en plein été. Sais-tu à quoi je pense? Je pense au foyer de ton ancien appartement. Comme on y serait bien, une journée comme aujourd'hui.

— D'autant plus qu'on ne travaille pas avec les lampes. Pauvre Elisabeth, les chandelles n'ont pas de quoi te réchauffer.

Avant de reprendre la pose, ils examinèrent les photographies manquées.

Tu vois cette ombre sur l'épaule? C'est ça que je n'aime pas. Viens devant le miroir, je vais te montrer.

Elisabeth reprit sa pose devant le miroir. Jean-Luc se plaça derrière elle. Il souleva un peu son bras, tira le coude vers l'arrière.

Regarde, ici, on dirait que tu contractes l'épaule. Détends-toi. Comme ça. Oui, c'est mieux.

Elisabeth étudiait la posture avant d'aller reprendre sa place. Jean-Luc la contemplait. Quelle beauté! Quelle splendeur dans sa simplicité! Vénus en eût été jalouse. Elle était là, chez lui, une serviette nouée à la taille, le dos à moitié couvert de sa lourde chevelure. Il n'avait qu'à allonger la main pour goûter au bout de ses doigts sa peau satinée. Elisabeth lui apparaissait comme une déesse sortie d'un livre de mythologie; lui n'était plus Jean-Luc, mais un être mû par une volonté étrangère à la sienne.

Il attira doucement Elisabeth vers lui; elle ne dit mot. Il posa ses lèvres sur son cou; elle ne frissonna pas. Il l'encercla de ses bras; elle ne réagit pas.

Quand ils se rhabillèrent, elle ne parla pas.

— XXXVII —

Le vendredi, Elisabeth ne sortit pas de chez elle. Jean-Luc ne téléphona même pas. Ni le samedi. Dimanche, c'était dimanche. Et elle avait gardé le lundi comme jour de congé; une vieille habitude depuis la banque. Cependant une fois sur deux elle avait travaillé quand même. Trop d'ouvrage.

Elisabeth ne pensait qu'à sa chute. La chute d'Adam et Eve. La sortie du paradis terrestre. Elle aussi était expulsée du jardin. Plus de paix, plus de tranquillité. Jamais plus de bonheur. Elle ne voulait plus voir Jean-Luc. Ni se voir. Elle baissait les yeux en passant devant un miroir. Instinctif. Elle se dégoûtait.

D'autre part, elle ne cessait de se traiter de bigote, de retardée, de sainte-Nitouche. Mais elle n'arrivait pas à accepter son acte. A s'accepter. Sale, dégoûtante. Pourrie. Noircie. Puante.

Et Gérard? Il va bien falloir que je le lui dise. Je me sentirai mieux ensuite. J'aimerais qu'il me batte, ça me ferait du bien. Que de névroses dues à des fautes inexpiées! Je pense bien qu'il ne va pas me battre, même mentalement. Peut-être se moquer de moi. Non. Il ne va pas me croire. Toi infidèle? D'abord, si c'était vrai, tu ne me le dirais pas. Quel jeu joues-tu exactement? Tu veux te donner de l'importance?

Parler, mais à qui? Une femme. Ghislaine. Pas de téléphone. Ni lettre. C'est trop intime. Jacqueline? Diane? Pas quelqu'un de la famille. Tout se sait à la fin. Gisèle est à Londres. D'ailleurs je la soupçonne de quelque escapade plus souvent qu'à son tour. C'est la seule qui pourrait effacer mes scrupules. Me faire comprendre que ce n'est pas si grave. Du moins essayer de me convaincre. Seule, je n'y arriverai jamais. Je ne peux tout de même pas continuer à vivre comme ça toute ma vie...

Elisabeth ne mangeait plus, ou mangeait sans appétit, ne dormait plus ou dormait mal. Elle décide de voir un médecin. Verdict: surmenage, épuisement; sentence: repos, tonique, contrôle dans un mois.

— XXXVIII —

Elisabeth glissait son doigt, lentement, entre les briques rouges. Elle suivait les espaces, selon le caprice de l'architecture, jusqu'au moment où elle toucha un cocon de chenille. Dégoûtée, elle retira vivement sa main. Elle était sale, enveloppée de toute la saleté du monde, imprégnée de laideur.

Si seulement elle avait pu parler à Gérard, tout lui dire. Avouer. Mais jamais il ne l'écoutait. Comment prendrait-il au sérieux une histoire aussi invraisemblable? Il ne la laisserait même pas terminer. Elle retournerait à sa solitude.

Ses efforts pour sauver leur union n'avaient rien donné. Elle avait cru plus d'une fois que Gérard aussi, de son côté, poursuivait le même objectif. Dès qu'elle montrait de la reconnaissance cependant, ou qu'elle manifestait un peu plus de douceur, Gérard se refroidissait et fuyait de nouveau. En parler ouvertement avec lui eût signifié la fin de toute tentative. L'orgueil de Gérard l'emporterait sans doute sur son désir de rapprochement.

Elle pensa aux enfants qu'elle aurait pu avoir. On dit que les enfants rapprochent les parents. Qui sait?

— XXXIX —

Pendant un mois Elisabeth avait pris les vitamines prescrites. Elle reprenait de l'appétit; ses forces physiques revenaient, d'autant plus qu'elle ne travaillait presque plus au studio. Elle s'y rendait sur rendez-vous avec ses clients et n'allait travailler le soir que lorsqu'elle savait Jean-Luc absent. Si elle le recontrait, elle l'ignorait. Pas de haine. Si elle subsistait, leur belle amitié était devenue muette. De son côté, Jean-Luc n'insistait pas pour parler à Elisabeth. Il comprenait ce qu'elle devait ressentir et respecterait son silence jusqu'à ce qu'elle désire le rompre elle-même.

Elisabeth demanda au médecin si le surmenage avait pu retarder ses menstruations de deux semaines.

— Deux semaines, c'est beaucoup. Ca vous est déjà arrivé auparavant?

— Non.

— Se peut-il que vous soyez enceinte?

— Je ne crois pas.

— Enfin, vous êtes mariée, n'est-ce pas?

— Depuis quatre ans. Sans enfants.

— Nous faisons un test de grossesse?

Elisabeth n'avait aucun besoin de la technique médicale. Elle savait. En posant sa question au médecin, elle jouait sa dernière carte. Elle aurait voulu s'être trompée. Maintenant, elle était sûre qu'il n'y avait plus d'espoir. Rassurée. Elle serait désormais malheureuse tout à fait.

Le lendemain matin, elle se rendit à l'hôpital pour le test. Dès qu'elle fut seule, de retour à la maison, elle téléphona au laboratoire.

— Il faudrait rappeler dans une heure, madame, pour être plus sûre.

— Mais jusqu'à maintenant, comment se présentent les choses?

— Positivement, madame.

Elle songea à toutes les femmes du monde, et les partagea en deux groupes: celle qui espéraient un oui, celles qui espéraient un non. Et elle songea aux techniciennes de laboratoire, elles qui par un seul mot avaient le pouvoir de rendre une femme heureuse ou malheureuse, mais qui ne connaissaient à peu près jamais les conséquences de leur réponse. A cause d'un oui, certaines femmes avaient reçu des fleurs; d'autres s'étaient jetées devant une voiture ou du haut d'un pont.

— Merci, mademoiselle.

Personne ne connaîtrait son secret, son drame, son désespoir. Il n'y a pas de plus grand amour que de donner sa vie... Ce qui change, c'est la manière de le faire. Elle donnerait son bonheur. A Gérard. A Gérard qu'elle n'aimait même pas.

Elle lui annoncerait la nouvelle. Un enfant au lieu d'une faute. Toujours voir la vie du côté positif. Il serait heureux. Il ne saurait jamais. Jean-Luc non plus. Elle seule. Comme toujours. Pour toujours.

— XL —

Il rentra de bonne humeur. Elle se donna trois jours. Avant trois jours, elle aurait parlé à Gérard. Aussitôt que le moment propice se présenterait.

Pendant le souper, ils écoutaient à la télévision un reportage sur les adoptions internationales. Le commerce des enfants. Le scandale du marchandage humain. Manque de bébés. Surplus d'enfants d'un certain âge. Handicapés physiques et mentaux laissés pour compte.

Gérard semblait ému. Le reportage terminé, il tourna le bouton du téléviseur.

— Tu sais, Elisabeth, je te dois un aveu. J'ai commis une erreur, déjà, par égoïsme, et je regrette maintenant qu'il est trop tard.

— Tu me fais peur, Gérard, parle!

— Je vais te le dire, car cela te concerne aussi, et c'est pourquoi je me sens coupable d'ailleurs.

— Coupable?

— Tu te souviens du voyage que j'ai fait à Toronto? Et puis sur les lieux, j'avais décidé de prolonger d'une semaine mon séjour là-bas? Pendant cette deuxième semaine, j'ai retracé un ancien collègue d'études, un dénommé Bastien. Il est médecin à Toronto.

— Oui, tu m'as déjà parlé de lui.

— Je suis allé le voir. Nous avons causé de choses et d'autres. Je lui ai parlé de mes ambitions. Je lui ai expliqué que si jamais nous avions un enfant à ce moment-là, tout était gâté pour moi. Quel imbécile et quel égoïste j'étais! Il m'a répondu en riant: «Il n'y a qu'un moyen sûr: la vasectomie!» Je ne pouvais pas te demander de prendre des moyens toi-même car je savais que de ton côté, tu désirais des enfants; de plus, je n'avais d'autre motif que le plus parfait égoïsme: n'avoir dans la vie d'autre préoccupation que moi-même, d'autres pensées que ma petite affaire. Vasectomie. Vasectomie. Cette idée me trottait dans la tête; le docteur Bastien l'avait semée et elle germait lentement mais sûrement. J'étais un imbécile. Je ne pensais pas à plus tard. Et Bastien n'a rien fait pour me décourager, ou du moins me faire réfléchir. Le désir d'arriver n'est pas une raison qui justifie une intervention médicale de ce genre. Et pourtant, il l'a pratiquée, sur simple demande. Je me suis fait mutiler par amour de moi-même.

Elisabeth éclata en sanglots.

— Ne dis rien, Elisabeth. Je comprends. Tu me détestes. Je ne sais que faire, que dire. Nous ne pourrons plus jamais avoir d'enfant. C'est ma faute. Je ne te demande même pas de me pardonner. Ca ne fait pas encore un an et déjà je regrette tellement, si tu savais.

Ils restèrent un long moment sans parler. Gérard alluma une cigarette. Puis une autre. Les larmes d'Elisabeth tarirent. Son courage, un moment anihilé, semblait revenir. A seize ans, elle avait eu un enfant de

Gérard; donc, ni elle ni lui n'était stérile. Pendant les trois premières années de leur mariage, elle se croyait stérile, mais elle avait maintenant la preuve qu'elle ne l'était pas. Peut-être Gérard l'était-il devenu avant sa vasectomie? Mais à cause de quoi? De toute façon, le problème était ailleurs.

Si elle avait un moment perdu son sang froid, rien n'en avait paru. Il était bien normal de pleurer devant pareil aveu. Gérard se leva de table, caressa les cheveux d'Elisabeth sans mot dire.

Elle obtint un rendez-vous chez le médecin pour le surlendemain.

— Qu'est-ce qui ne va pas cette fois, chère madame?

— Je viens pour un avortement.

Alors commença le discours qu'elle avait prévu et dont elle s'était répété les principaux arguments: responsabilité morale — acte illégal — meurtre — mariée — situation financière — jeune — pas d'enfants — aucun danger — etc.

Elle n'était pas venue pour se laisser convaincre. Elle demanda une consultation chez un gynécologue. Surpris de lui avoir si facilement fait entendre raison, le médecin lui remit, souriant, satisfait, une demande de consultation.

Le docteur Irène Ménard reçut Elisabeth qui réitéra sa demande.

— XLI —

Elisabeth vérifia l'échéance de son passeport. Un an et demi encore. Elle recopia dans son agenda de poche l'adresse de Gisèle, et se rendit chez un agent de voyage. Elle fit établir son trajet jusqu'à Londres et réserver un hôtel.

Dans l'avion, Elisabeth se dit que Jean-Luc n'aurait même pas besoin de changer de nom d'affaires. JELU, sans Elisabeth, devenait simplement Jean-Luc.

NOUVELLE ECARLATE

LE SECRET

Monsieur Boucher ne se souvenait plus exactement de l'année où il était devenu restaurateur. En 1957, il tenait un poste d'essence; on s'occupait aussi de mécanique générale, mais s'étant aperçu que son employé le volait, il l'avait renvoyé et avait décidé de remplacer, dans son établissement, la restauration des voitures par la restauration des clients. Il leur offrit d'abord des eaux gazeuses, des cigarettes, des croustilles, du chocolat. Puis, la montée rapide du «fast food» entraîna monsieur Boucher comme tant d'autres dans la préparation des hot dogs, des frites, des sandwiches à étages. Les routiers réclamèrent bientôt leur petit déjeuner.

Comment monsieur Boucher n'y avait-il pas pensé avant? Son plus proche voisin se trouvait à un bon nombre de kilomètres vers le nord ou vers le sud. On ne pouvait faire halte que chez lui pour se rafraîchir ou pour répondre à un estomac qui gargouillait depuis longtemps. Aussi moussa-t-il sa publicité en ce sens: «Arrêtez-vous ici! Sinon, vous le regretterez pendant trente-deux kilomètres», disait un panneau-réclame.

Il fallait à tout prix exploiter la situation: quand le centre de ski serait ouvert, dans deux hivers sans doute, les concurrents pousseraient comme des champignons. Mais si la renommée de «Boucher, une fois devient coutume» était établie avant, alors là, qui pourrait lui voler sa clientèle? On n'oserait même pas s'en approcher trop.

Antoine Boucher était veuf depuis douze ans. Sa fille Liliane, qu'il avait élevée seul, avait atteint ses dix-sept ans au moment où elle disparut mystérieusement. C'était le deuxième été où elle travaillait avec son père au restaurant qui, de fil en aiguille, avait grossi pour répondre à la demande des clients. Le poste d'essence était devenu une activité secondaire.

Le 19 août, Liliane Boucher quitta Val-des-Anges pour Montréal; elle devait aller chercher son horaire au CEGEP Bois-de-Boulogne où elle s'était inscrite. On ne la revit jamais.

Ou plutôt oui; mais son cadavre seulement, deux mois plus tard. Elle avait été poignardée, pas violée semble-t-il. Pourquoi? Elle ne transportait ni argent ni bijoux. Le saurait-on jamais?

L'auteur du crime s'était envolé avec les feuilles d'automne. Même les meilleurs clients de monsieur Boucher devinrent des suspects pour ce père affligé. Le pauvre homme, à qui le sort avait ravi deux fois ses affections les plus chères, faillit se laisser emporter. Mais il se ressaisit: il ne mourrait pas avant de savoir. Si la police restait muette, lui, découvrirait le coupable.

Ses soupçons se portèrent bientôt sur un jeune homme à l'air louche qui depuis quelques mois fréquentait l'auberge. Car il faut dire qu'Antoine Boucher n'avait pas perdu de temps; il avait fait construire, au-dessus du restaurant, trois chambres, sans grand luxe, mais avec toutes les commodités de la vie moderne.

Le jeune Olivier donc, arrivait toujours à l'auberge sale, les cheveux gras; il portait des jeans qui en avaient vu d'autres, un chandail dont les manches poussaient de semaine en semaine, et des bottes qui semblaient revenir de guerre. Malgré son apparence respoussante, Olivier se montrait un client comme il faut: il réglait sa chambre d'avance, se présentait à l'heure fixée pour les repas, ne recevait jamais personne, ne faisait pas de bruit, et ne redescendait de sa chambre qu'après avoir pris une douche et changé de vêtements.

Pourtant, Antoine Boucher ne pouvait chasser de son esprit que ce jeune homme eût quelque chose à voir dans l'assassinat de sa chère Liliane. Il essayait pourtant car il n'était pas homme à accuser sans preuve, mais son instinct l'emportait sur sa raison.

Aussi décida-t-il de le punir à sa façon, légèrement, sans lui faire trop de mal. Juste de quoi satisfaire son besoin de vengeance, après quoi son esprit serait sans doute libéré de ses soupçons.

Un chien errant rôdait depuis deux jours dans les parages. Il jappait le jour, hurlait la nuit. Monsieur Boucher devait absolument se débarrasser de cette menace à la tranquillité des ses clients. Il attira donc la bête avec une belle pièce de viande. Son appétit satisfait, le chien ne songe plus à repartir. Antoine Boucher lui passe un collet de cuir, entraîne le chien dans le bois derrière son établissement et l'attache à un arbre. A la première occasion où l'auberge serait vide, Monsieur Boucher abattrait la bête.

Le lendemain déjà, l'occasion se présenta de mettre à exécution le plan préparé. Antoine Boucher retira le foie de l'animal, qu'il congela dans un sac de plastique portant l'étiquette «Foie». Il brûla les restes de la bête, dont les cendres et l'odeur s'envolèrent dans le vent.

On était lundi. Olivier, comme d'habitude, vint le jeudi. A table, il commanda, comme l'habitude, le plat du jour. Monsieur Boucher annonça: «Foie et bacon, pomme de terre au four et sauce tomate.»

Le jeune homme avalait distraitement, mais avec une régularité d'horloge, une bouchée de viande, une de pomme de terre, une de viande, une de pomme de terre. Monsieur Boucher observait derrière son comptoir, au-dessus d'un journal prétexte, l'accomplissement de sa vengeance.

Loin de s'assouvir, sa haine s'enflamma. Le jeune homme mangeait et semblait trouver délicieux le mets préparé spécialement pour lui. Il repoussa l'assiette vide et monta à sa chambre, comme d'habitude. Monsieur Boucher le suivit des yeux et marmonna entre ses dents: «Tu serviras de pâture aux chiens!» Le jeune homme se retourna dans l'escalier; Antoine craignit d'avoir parlé à haute voix.

Peu après minuit, Antoine écouta à la porte d'Olivier. La respiration régulière et un léger sifflement le rassurèrent. Olivier dormait à plat ventre, un bras et une jambe pendant du lit. Il fallait faire vite et bien. Si les gestes n'étaient pas parfaitement coordonnés, Olivier se réveillerait et crierait. Glisser la cravate de soie sous la gorge et serrer très fort, sans attendre une seconde. Le temps de se rendre compte, Olivier n'avait plus moyen de se débattre.

Monsieur Boucher s'était jeté sur lui, empêchant tout mouvement. Une main seulement tenta de s'agripper quelques secondes.

Antoine Boucher avait de la force à revendre. Il aurait pu transporter deux corps du poids d'Olivier à la fois. Il déposa le cadavre dans l'ancien atelier de mécanique, qu'il appelait maintenant l'arrière-boutique. Il dépeça les meilleurs morceaux de viande, qu'il entreposa au congélateur, fit de petits paquets des restes, enveloppés dans plusieurs épaisseurs de papier journal, lava le sang au boyau d'arrosage. Pas question d'enterrer les déchets; le sol avait commencé à geler. Il les brûla dans le foyer, un paquet à la fois, sous un monceau de brindilles odorantes et un peu d'essence pour accélérer le travail. Antoine songeait à acheter des chiens. Deux chiens noirs, au poil luisant, aux yeux injectés de sang et aux crocs pleins de salive. Quel festin il leur offrirait: chair crue, presque vivante encore!

Le lendemain matin, il ferma son établissement «pour affaires» et se rendit dans un chenil d'où il revint avec deux superbes bêtes. Il les affama pendant quelques jours afin que leur appétit soit plus aiguisé. Quand il leur servit un énorme morceau de viande à peine décongelée, les bêtes le flairèrent, puis se mirent à grogner, refusant de manger. Bien plus, comme s'ils sentaient qu'on se moquait d'eux, les monstres devinrent menaçants. Ils salivaient, dirigeant vers Antoine Boucher des yeux de feu. Antoine retira du congélateur deux grosses pièces de boeuf qu'il fit dégeler à l'eau bouillante. Les chiens s'en régalèrent mais n'en eurent pas suffisamment et il fallut les trois derniers morceaux pour les calmer.

Toutes ces émotions avaient enflammé l'esprit d'Antoine. Il ne pouvait plus utiliser le foyer pour se défaire de la viande refusée par les bêtes, car il y avait des clients dans le restaurant, et il se souvenait de l'odeur particulière qui s'était dégagée du brasier quand il y avait jeté la tête, les mains et les pieds, ainsi que les os décharnés.

Il transforma donc la pièce de viande en «pâté de lièvre»; les légumes, les épices et la sauce aboliraient tout doute. D'ailleurs, bien peu de clients connaissaient le goût du lièvre.

Un couple dans la quarantaine en redemanda pendant trois jours qu'il passa à l'auberge. C'étaient des responsables d'un groupe de «Renouveau conjugal», et ils promirent de recommander l'endroit aux membres qui désiraient passer une fin de semaine intime dans un endroit tranquille. Ils tinrent parole: chaque fin de semaine vit arriver, en plus des skieurs, des couples du «Renouveau». Il fallut bientôt réserver sa chambre, et Antoine Boucher décida que dès le printemps, il ferait construire une annexe, peut-être même quelques petits chalets qui ne risquaient plus désormais de rester déserts. On venait de partout pour la spécialité maison. Mais la provision de «lièvre» fut vite épuisée. Quand les affaires marchent aussi bien, il ne faut pas décourager la chance. Antoine guettait l'occasion de satisfaire à la demande.

Un mercredi en fin d'après-midi, une femme enceinte de huit mois demanda s'il restait une chambre. Elle se mit à causer avec l'aubergiste tout en dégustant une salade de fruits. Son mari, ingénieur en génie civil, se trouvait en Suisse pour un congrès, et la jeune femme, seule à Montréal où elle ne connaissait encore personne, avait décidé d'aller surprendre sa mère à

Rouyn-Noranda pour son anniversaire. Elle avait gardé secret son projet afin de ne pas inquiéter sa mère. Dans son état, mieux valait faire le voyage lentement, s'arrêter souvent. Elle arriverait quand elle arriverait.

Il n'en fallut pas plus pour enflammer l'imagination d'Antoine. Dans la collation du soir, un verre de lait et des biscuits, il versa une forte dose de somnifère. Jamais la jeune femme n'aurait mieux dormi.

Antoine ne se coucha pas. Il ramassa son courage, l'arrosa de quelques verres de scotch, et à 2h30, se dirigea vers le chalet d'où il sortit avec la femme endormie dans ses bras. Quelle tristesse! Impossible de reculer désormais: Antoine était pris dans l'engrenage. La nuit même, il mit à mariner la chair du bébé qu'il comptait apprêter en ragoût: une nouvelle recette.

La réputation de «Boucher, une fois devient coutume» grandissait au-delà des espérances du propriétaire. Cercle vicieux. Arrêter aurait immédiatement condamné Antoine.

Les victimes suivantes furent trois touristes américains, deux hommes, dont un obèse, et une femme. Une bonne réserve. Antoine avait pris soin de les faire signer sur un faux registre, qu'il brûla le lendemain. Il conduisit leur voiture dans le stationnement d'un hôtel du village voisin et revint à bicyclette.

Les mois passaient, les saisons se succédaient. La réputation de la cuisine d'Antoine gagnait sans cesse du terrain.

De tous les coins de la province, on accourait goûter le pâté et le ragoût de lièvre. Chacun y allait de son grain de sel. On essayait de surprendre la recette, de deviner ce petit-quelque-chose-de-particulier. Le secret était bien gardé. Le restaurateur ne remplissait aucune commande «pour emporter», prétextant qu'il ne pourrait alors satisfaire à la demande.

Vint un jour un inspecteur, chargé d'augmenter ou de diminuer le nombre d'étoiles décernées aux restaurants du Québec. Il goûta les deux mets, devenus avec le temps, les seuls mets au menu. Il se répandit en compliments, cherchant des mots qui n'existaient pas pour décrire les délices de son palais. S'il avait pu, disait-il, c'est six étoiles qu'il aurait accordées à «Boucher, une fois devient coutume». Puis, après le départ des autres clients, et un peu égayé par le champagne offert par la maison, il demanda à visiter la cave à vins, afin de signaler quelque bonne bouteille.

Précédé du maître des lieux, il descendit dans le noir. Quand la lumière jaillit, il aperçut un chien atrocement acharné à découvrir quelques fragments de viande sur de longs os lui rappelant vaguement un fémur ou un tibia. Pendant qu'il notait les noms des vins sur lesquels Antoine attirait son attention, son regard tomba par mégarde sur un tas bizarre d'objets hétéroclites: des chaussures, des sacs à main, des dentiers, des lunettes...

NOUVELLE OCRE

SOUS LE MASQUE
ou
PIÈCE DISCORDANTE
POUR QUATUOR VOCAL

— I —

Non, non, non, ça ne peut plus durer. Je n'en peux plus. Je sentais que j'allais crier, ce matin, que j'allais tout dire à Jean-Philippe. Il ne faut pas qu'il sache; il aurait trop de mal, lui si sensible, si profond, si noble. Je ne puis lui causer ce chagrin. Et pour l'épargner, je dois me taire, rester seule avec ce poids sur ma conscience, ce poids qui m'accable. C'est comme si je me trouvais face à une horloge. Je vois osciller le balancier, de droite à gauche, de gauche à droite, dans un mouvement qui ne s'arrête jamais. Toujours, jamais, toujours, jamais, toujours me taire, jamais parler. C'était devenu si intenable que ce matin je me suis arrêtée au premier magasin sur mon chemin et j'ai acheté ce cahier. Voilà; il n'est déjà plus vierge. J'ai rempli un peu plus d'une page. Je sens qu'il sera ma planche de salut. C'est à lui que je vais pouvoir confier mon lourd secret. À deux, il me paraîtra moins harassant, ce secret qui colle à moi comme... comme quoi? Tiens, je me souviens de ma robe de noces, aux manches longues et étroites; la chaude humidité de ce jour de juin faisait adhérer la soie à ma peau. J'étais mal à l'aise. Je pouvais à peine bouger et j'avais hâte que les invités s'en aillent pour être enfin libre d'arracher de moi cette robe monstrueusement collante — comme mon secret.

Je me suis arrêtée d'écrire quelques minutes. J'ai revu les scènes principales du jour de mon mariage, comme lorsqu'on regarde un album de photos souvenirs. Puis j'ai relu ce que je venais d'écrire dans mon journal. Bizarre: j'ai commencé par le mot «non» répété trois fois. Moi qu'on dit si positive!

Bizarre aussi qu'à trente-sept ans on éprouve encore le besoin de rédiger un journal comme à quinze ans. Peut-être un reste d'adolescence mal digéré? Mais dans mon cas, il faut dire que c'est temporaire, comme un médicament. On en prend le temps que dure la maladie, et après, vlang!, dans la poubelle. Mon journal, quand il sera rempli, ou quand j'aurai vidé suffisamment mon coeur pour n'avoir plus besoin de confident, je le brûlerai. Je l'offrirai en sacrifice au dieu du silence qui me tient prisonnière...

Pauvre Jean-Philippe! S'il savait, il serait capable d'en mourir! Et par orgueil encore: son moi masculin, sa dignité de mari offensé, son droit de regard sur mes faits et gestes balancé par-dessus bord et remplacé par l'entière liberté de mes mouvements, par la carte blanche donnée à mes sentiments, par l'autonomie la plus complète de ma personne. Si je ne me connaissais pas, je croirais entendre une partisane du «Women's Lib». Ce n'est pas que je sois pour la soumission des femmes, que je sous soumise moi-même, non. Je l'ai été pendant tant d'années à mes parents, à mes professeurs, que je n'avais pas choisis; je n'allais tout de même pas engager ma vie envers un homme devant qui j'aurais dû de nouveau m'incliner, envers un mari dans les pas duquel il m'aurait fallu mettre les miens. Je considère que je suis née libre, et que je n'ai pas à acquérir ma liberté mais seulement à la maintenir, à l'exercer.

Pourtant, à quel prix! Combien ai-je payé pour mettre en pratique ce principe? Pourquoi ne puis-je parler à Jean-Philippe, tout lui dire, tout? Je me sentirais tellement mieux ensuite. C'est comme si j'essayais de retenir un repas dont mon estomac voudrait se défaire. C'est pénible, ça empêche de voir clair.

Analysons froidement la situation une fois de plus. Si je parle, je me soulage, mais j'accable Jean-Philippe. Je lui prouve que je ne suis pas la femme qu'il croyait. Il se verra obligé de me juger, de prendre position face à mon geste, face à moi-même. Et moi, je me sentirai écrasée par son regard. Même s'il ne me faisait pas de reproches ouvertement, rien que de savoir qu'il sait, je sentirais le reste de mes jours son oeil sévère jeté sur moi, son index pointé vers le ciel... et moi je baisserais les yeux, je ne pourrais plus lever sur lui, si bon, mon regard honteux.

Si par contre je me tais, je finirai par avoir un ulcère d'estomac. J'ai beau essayer de me faire accroire que ce journal me servira de confident, mais un cahier n'a rien d'une personne humaine. Je n'ai pas seulement besoin de parler, j'ai besoin d'être entendue, d'être pardonnée surtout. Oh! Jean-Philippe, pourrais-tu jamais me pardonner? Mon amour, si tu savais comme je regrette de t'avoir menti, de t'avoir trompé! J'en ai tant de peine que même si tu me pardonnais, je crois que moi-même je n'arriverais pas à en faire autant. Je commence à croire à la valeur libératrice du confessionnal. On dit que dans la religion catholique, le sacrement de pénitence a soustrait bon nombre de candidats à la dépression nerveuse par le simple fait qu'ils pouvaient se confier à quelqu'un. Pourtant, je ne puis me confesser à Dieu; ce n'est pas Lui que j'ai offensé, c'est toi, mon amour. Oui, j'ose encore t'appeler mon amour malgré tout ce qui nous sépare maintenant.

Comprends-moi, je ne puis m'empêcher d'être heureuse! Je suis venue sur cette terre pour y ramasser les miettes de bonheur que d'autres méprisent. Tu ne peux pas comprendre. Ou plutôt oui, Jean-Philippe, car toi aussi tu es fait pour le bonheur. Ce que je regrette, c'est d'être allée trop loin, si loin qu'il m'est impossibe à présent de revenir sur mes pas. L'alternative devant laquelle j'hésite, c'est:

a) je me tais;
tu ne découvres jamais rien;
et je porte seule le poids de mon mensonge;

b) je te dis: «Jean-Philippe, je t'ai trompé, je ne mérite que ton mépris.»
Et toi, tu choisirais aussi:

a) Tu dis: «L'erreur est humaine; qui de nous n'a jamais trompé personne? N'y pense plus, c'est oublié.»;

b) Tu ne dis pas un mot;
tu me regardes et tes yeux chargés de mépris me font comprendre que je ne dois plus reparaître devant toi.

Je ne puis accepter aucune des deux hypothèses. La première requiert trop de grandeur d'âme, de magnanimité comme tu dirais; la deuxième s'avère si pénible que rien que d'y penser j'en ai le coeur troublé et les yeux gonflés de larmes.

Que faire? Me taire. C'est tout. Et ça rime en plus, la preuve que la réponse va bien avec la question.

Dieu sait pourtant que je n'ai pas agi à la légère. Impulsivement peut-être, mais pas à la légère. Il m'a fallu plus d'un an pour mettre la somme de côté, petit à petit. J'aurais pu aller plus vite mais je ne voulais pas que cela paraisse et que Jean-Philippe se pose des questions, m'en pose à moi surtout. Et quand j'ai vu que je touchais presque au but, j'ai mis sur pied un tirage imaginaire, dont j'ai parlé pendant trois ou quatre semaines afin de préparer la famille à la surprise. Je suis allée chercher mon manteau le lendemain du jour prévu pour le tirage. Personne ne s'est douté de rien. J'ai eu chaud un instant quand Eveline m'a dit: «Il te va tellement bien qu'on dirait qu'il a été confectionné sur mesure.» Je me suis demandé si elle ne connaissait pas tout à fait mon manège et si elle ne le faisait pas exprès pour me narguer. C'était comme si mon beau rêve s'écroulait et si tous mes sacrifices devenaient inutiles.

Ces deux mille quatre cents dollars que j'ai réunis semaine après semaine en les déposant dans un compte spécial quand j'allais encaisser mon chèque de paye, c'est comme si je les leur avais volés, un tiers à chacun d'eux. Je me suis sentie coupable pour la première fois quand j'ai refusé à Richard des cours de guitare à sept dollars la leçon. À sa requête, j'ai répondu spontanément: «Attends à l'an prochain; tu as suffisamment d'activités pour le moment.» Il a boudé un peu mais n'a même pas demandé d'explications. Peut-être que s'il avait insisté un peu j'aurais cédé. Puis il a oublié. Mais en moi, l'égoïste, le sentiment de culpabilité s'est mis à grandir, grandir, et a fini par prendre toute la place.

— II —

Me voilà rendu à enregistrer une confession. Quelle bassesse! Le proverbe dit bien: «Chassez le naturel, il revient au galop.» Quel est donc mon naturel? «Médecin, connais-toi toi-même»; me connaîtrai-je jamais mieux qu'aujourd'hui? J'ai commencé ce ruban magnétique pour vérifier si j'avais bien réussi la réparation de mon appareil en parlant de choses et d'autres, en récitant des vers appris par coeur, ou ce qu'il en reste, au collège. Puis voilà que tout à coup, je suis devenu moi-même; du fond de mon inconscient sont remontés des souvenirs. Des souvenirs... Je m'exprime comme si tout était tombé dans l'oubli. Pourtant, c'est du présent que je parle. Ma liaison avec Catherine est bien réelle, vivante, actuelle. Et je ne veux pas m'interroger à savoir si un jour je parlerai d'elle, de nous deux, au passé. Je refuse de songer à demain quand je n'ai même pas fini d'exploiter aujourd'hui. Je ne veux pas savoir si cette liaison a de l'avenir.

Cléo n'en sait rien. Peut-être est-ce imprudent d'enregistrer ces réflexions? Supposons que je meure subitement, à l'instant même. Cléo en vient à écouter cette bande. Que penserait-elle?

Mais elle ne le ferait pas. Premièrement parce qu'elle sait que c'est ma méthode pour prendre des notes en vue d'écrire mes romans. Elle ne s'attarderait pas à lire, ou plutôt à écouter mes brouillons constitués de redites, de phrases décousues, d'idées barbares et sans suite. Écouter pour y trouver quelque chose? Impossible puisqu'elle n'a aucun soupçon. Et même si elle entendait quelque passage, elle croirait que je fais parler un personnage de roman.

Peut-être qu'elle mettrait dans un coffret les quelque cent cinquante cassettes qui se trouvent dans ce bureau et les vénérerait comme relique de son défunt mari? Peut-être qu'elle les effacerait pour y enregistrer de la musique légère afin de rendre son veuvage moins pénible?

Non, une chose est certaine, c'est que Cléo ne sait rien. J'ai cru un jour qu'elle avait découvert: mais c'était pur hasard. Jocelyne avait avancé lors d'un souper entre amis, qu'il était juste et naturel qu'un homme ou une femme ait, dans sa vie, une maîtresse ou un amant, «honnêtement» avait-elle ajouté; on ne devait pas se perturber l'esprit pour si peu; mais elle ne pouvait supporter qu'une personne mariée se prête à une ou des aventures extraconjugales passagères. C'était faire preuve d'inconscience, d'irresponsabilité et de légèreté inouies.

Une fois rentrés chez nous, Cléo avait repris la conversation et j'avais cru qu'elle cherchait à me faire avouer. Mais il n'en était rien. Aucun danger de ce côté. Par contre, je crois qu'elle serait capable de prendre un amant. Peut-être même est-ce déjà fait? Je suis mal placé pour le lui reprocher. De plus j'irai jusqu'à dire que ça ne me fait ni chaud ni froid. Car je n'aime plus Cléo. Je ne l'ai peut-être jamais aimée d'ailleurs. Je n'ai pas eu le temps d'y songer quand nous nous sommes mariés ni par la suite. Depuis quelques mois que je fréquentais assidûment Cléo quand elle m'annonça la nouvelle: Eveline était en préparation dans la manufacture maternelle. Vite, une robe blanche, un voile, deux alliances et hop! la cérémonie suivie de la réception. La face était sauve, l'honneur aussi. Eveline aurait un nom de famille différent de celui de sa mère. Ça fait dix-huit ans de cela et c'est comme si c'était hier.

Cléo n'avait pas été la première même si je n'ai jamais détruit ses illusions à ce sujet et elle n'a pas été la dernière non plus. C'est la même chose pour Catherine d'ailleurs. Probablement. Une chose est certaine... Tiens, il me semble que j'ai dit cette phrase il y a quelques minutes. Il faudra que je me surveille; c'est peut-être une manie. Un écrivain doit toujours soigner son style.

Qu'est-ce que je disais? Ah! oui... une chose est certaine, c'est que je prolongerai ma... mon... ma relation avec Catherine tant et aussi longtemps que je n'aurai pas fini d'écrire mon roman. Je la garde pour y apposer le point final. Elle m'inspire, et ce qui est nouveau, différent des autres romans, c'est que je ne sais pas où je m'en vais. Je n'ai aucun plan. J'écris au fil de la vie, au fil des jours, au fil de mes «amours». Je trompe ma femme avec ma maîtresse et ma maîtresse avec ma femme. Pour le moment, elles ne sont que deux en compétition.

Et moi, combien ai-je de rivaux? Combien ma femme a-t-elle eu d'amants? Je prends plaisir à l'imaginer au lit avec un autre. Et dire qu'elle doit tout mettre en oeuvre pour que je ne sache rien! Si elle savait comme je m'en moque, elle ne se donnerait pas tant de mal. En tout cas, je peux lui tirer mon chapeau: elle n'a jamais rien laissé paraître. C'est vrai que je n'ai jamais cherché à savoir. Je lui laisse toute latitude. Je m'absente le plus souvent possible et pour des périodes de plus en plus longues. Je participe à de nombreux congrès dans différents pays...

(Il se met à rire seul, en notes isolées d'abord, puis en saccades.)

Je me vois rentrant à la maison en pleine nuit et trouvant Cléo avec son amant dans notre lit!

(Il rit encore)

Ça pourrait être... François, tiens! La bonne idée! Elle lui dirait: «Mon chou, même si tu as vingt-cinq ans de plus que moi, tu fais encore très bien l'amour, tu sais!» Et lui de répondre: «C'est pour me garder jeune, mon enfant.»

Ou bien avec Jacques, oui Jacques, ça, ce serait drôle: «Ma Cléo, j'aime l'harmonie de couleurs qu'offre ta peau: tes seins, ton ventre, tes cuisses, tout se fond, tout se mêle en un chant de douceur qui berce mon coeur. Ta sensualité m'excite et m'enivre. Je m'abandonne en tes bras comme un papillon au soleil» etc. etc. bla, bla, bla. «La poésie faisant l'amour à la grâce», quel titre pour une sculpture! Il ne reste plus qu'à exécuter le chef-d'oeuvre. Trouvons un artiste, des fonds, des matériaux et le tour est joué!

Ou bien encore Cléo pourrait devenir la maîtresse de... voyons, comment s'appelle-t-il?... celui qui crache dans la figure des gens quand il parle? Cléo dirait: «Mon trésor, ne crois-tu pas qu'il pleut dans notre chambre?»

(Il rit)

Enfin, il faut bien s'amuser un peu, non? L'imagination c'est fait pour passer le temps quand on s'ennuie. Sait-on jamais: ces notes pourraient même me dépanner si ma verve créatrice manquait de salive un jour.

Mais pour l'instant, assez bavardé. Il y a du courrier qui attend. Tiens, qu'est-ce que cet envoi volumineux? Et sans adresse de retour?

(Il déchire l'enveloppe)

Un manuscrit... Encore un de ces jeunes blancs-becs qui vient soumettre ses premières gaffes à mon approbation? Voyons:

Mon cher Jean-Philippe,

Je t'envoie mon journal que je ne finirai jamais. Il y a là des choses que tu dois savoir, toi si bon, si juste et compréhensif. Je n'avais pas le courage de te le donner en personne car je ne voulais pas voir ta réaction. À toi, quand tu l'auras lu, de décider du comportement que tu adopteras envers moi.

Si du moins, me suis-je dit si souvent, j'avais quelque chose à lui reprocher! Mais c'est un homme si parfait, un mari si tendre et attentif...

C'est d'autant plus difficile pour moi de mettre mon âme à nu, mais je le fais puisque je ne pourrais continuer à penser que je t'ai menti, et que chaque jour prolonge de vingt-quatre heures mon mensonge.

Ta Cléo malgré tout.

(Jean-Philippe entreprend la lecture du journal de Cléo.)

Non, non, non, ça ne peut plus durer. Je n'en peux plus. Je sentais que j'allais crier, ce matin, que j'allais tout dire à Jean-Philippe...

— III —

...

Oui, eh!.... c'est toi, Benoit? Est-ce que je peux te parler?

...

Je veux-dire: est-ce que tu es seul?

...

C'est ce que je pensais. Eh! bien, tant mieux, parce que je n'en pouvais plus...

...

(Énervée, comme si elle allait se mettre à pleurer:)

Ah! Benoit, si tu savais!

...

Non, ne t'inquiète pas, je ne pleure pas.

...

Non, je ne suis pas chez nous. Je suis dans une cabine de téléphone devant la pharmacie.

...

Penses-y donc deux minutes. Il y a un rapport entre l'endroit où je suis et ce que j'ai à te dire.

...

Tu ne devines pas, Benoit?

...

C'est bien d'un homme, ça! Qu'est-ce que tu veux que je fasse à la pharmacie à huit heures et demie du soir en ce beau jeudi du mois de novembre, hein? exactement cinquante-deux jours après qu'on a couché ensemble, hein? Tu commences à piger, maintenant?

...

Es-tu fou ou quoi?

...

Non mais, tu raisonnes comme un enfant, Benoit. Tu voudrais que je te dise ce que tu as le goût d'entendre dire. Eh! bien, la réalité, ce n'est pas une histoire de baguette magique! T'imagines-tu que je n'aurais pas souhaité moi aussi que le pharmacien se change en fée et me dise: «Pas pour cette fois, mon enfant; fais un autre désir.»? Je le souhaitais tellement fort que ça m'a rendue folle. Ca fait deux jours que la réponse du test m'attend. Je n'étais pas capable de téléphoner à la pharmacie tant j'avais peur, et ce n'est que ce soir que je me suis décidée. Je me suis lancée les yeux fermés. Je me suis dit: Aussi bien savoir tout de suite et en finir au plus tôt!

...

Comment ça «en finir avec quoi»? En finir avec la peur, Benoit, l'attente, la peur d'avoir peur. Voilà, maintenant c'est fait. C'est comme si rien ne s'était passé. Je suis calme. J'ai surmonté l'obstacle. Maintenant, je vois clair et je sais où je vais.

...

Non, pas ça! Ne parle pas de mariage. J'y avais bien pensé que tu réagirais de cette façon. Mais je te dis: non, non et non. C'est tout pensé; il n'y a pas de «revenez-y». Vois-tu, ce coup-là, mon père l'a fait à ma mère il y a dix-huit ans. Elle, naïve comme elle l'est, elle n'en a pas tellement souffert, pas réellement. Elle croit qu'il l'aime toujours et ne sait rien de sa véritable vie. Mais moi, je ne serais pas capable. Dans quelques mois, tout au plus quelques années, tu ne m'aimeras plus, Benoit. Tu prendras une maîtresse comme mon père. C'est là que je commencerai à souffrir et cette souffrance ne s'arrêtera plus jamais.

...

Laisse-moi parler, Benoit. Ma décision est prise.

...

Je veux te quitter sans même te revoir une seule fois. Parce que je t'aime, comprends-tu? Peux-tu comprendre ces choses? Je veux que tu finisses tes études sans préoccupations, que tu deviennes quelqu'un, que tu réussisses ta vie.

...

Tu ne comprends donc pas que c'est mieux pour toi?

...

Moi? Ne t'inquiète pas. J'ai pensé à tout; j'ai déjà pris des dispositions. Ca se fera la semaine prochaine.

...

Cet enfant est à moi seule, tu entends? C'est à moi d'en disposer comme je le veux.

...

Non, on n'a plus besoin d'aller faire un petit séjour à New-York maintenant. C'est tellement plus facile qu'auparavant.

...

Je me débrouillerai bien. Puis j'ai des amis en cas de besoin. Ne t'occupe pas.

...

Continuer à se voir? Je ne dis pas non, si le hasard arrange les choses. Mais seulement quand il n'y aura plus rien entre nous. Quand nous aurons oublié ce qu'il y a eu entre nous.

...

Non, Benoit, je t'ai dit que j'avais pensé à tout. Tu n'as pas les moyens pour l'instant de devenir un père de famille. Et je ne peux tout de même pas dire à ce foetus: «Attends un peu avant de grandir, il faut que maman se trouve un mari, un logement, un situation familiale de bonne renommée».

...

Impossible, ce ne serait jamais pareil. Après l'avortement, je ne pourrai plus te regarder en face, et toi non plus d'ailleurs. Je sais que tu es contre. Et ça te regarde; tu as le droit de penser comme tu veux. Mais tu me verrais toujours avec des yeux de juge, tu jugeras la meurtière que je serai devenue; car je vais as-sas-si-ner-un-enfant, Benoit, penses-y bien.

Ne cherche plus à me revoir. C'est fini.

Enfin, je suis libre! Libre! Voilà comment on s'émancipe. Il ne faut jamais demander la permission d'être libre; il faut la prendre. La liberté, c'est comme une grosse pomme rouge et juteuse; c'est bien meilleur quand on y mord à belles dents. Viens, mon petit foetus imaginaire, tu m'as sauvée d'un mariage certain. Maintenant, tu peux retourner te reposer dans le monde fictif d'où je t'ai tiré. Merci, tu as bien joué ton rôle; tu es bon comédien comme ta mère. Va, je n'ai plus besoin de toi. A une prochaine fois, peut-être...

— IV —

Montréal, le 18 novembre

Madame ma mère,

Tu seras sans doute surprise de recevoir cette lettre à ton bureau. Une lettre de ton fils qui ne réussit même plus à t'appeler du nom de «maman». Deuxième surprise, n'est-ce pas? Mais tu n'as pas remarqué que depuis trois ans je ne t'ai jamais appelée «maman». Tu ne t'en es pas aperçue *parce que tu ne m'écoutes jamais. Tu ne me parles pas non plus. Réfléchis bien, tu verras. Tout ce que tu sais dire, c'est: «Ne rentre pas trop tard», «Ca marche à l'école?», et des choses de ce genre sans même écouter la réponse. Eh! bien, ton petit Richard, il a grandi, ton petit Richard, et il a compris. Tu ne m'aimes pas comme une vraie mère. Quand j'ai commencé à m'en rendre compte, je me demandais pourquoi tu avais cessé de m'aimer. Mais peu après j'ai compris que de ton côté rien n'était changé; c'était moi qui comprenais dorénavant que tu ne m'avais jamais aimé.*

Tu n'aimes pas Eveline non plus. Regarde ce que tu en as fait; c'est vrai que tu ne le sais probablement pas encore. Eh! bien moi, je vais te l'apprendre. Tu n'es pas au bout de tes surprises aujourd'hui, ma chère mère. C'est le jour des grandes révélations: ta fille Eveline, c'est... une pute? Oh! non, elle a plus de classe! Une femme entretenue alors? Non, elle est trop jeune. Ta fille Eveline est une lesbienne déclarée. Bien entendu, toi et papa formez un couple parfait d'aveugles. Vous ne saviez rien, n'est-ce pas?

Il y a encore bien des choses que tu ne sais pas. Et je vais t'en dire une autre. Tu ferais mieux de t'asseoir bien confortablement si tu ne l'es déjà; je ne prends pas la responsabilité des blessures que tu pourrais t'infliger en t'évanouissant. Cette nouvelle concerne ton gentil mari. Voyons, voyons, qu'est-ce que ça pourrait bien être... Ah? Tu as deviné? Mais tu refuses de voir la vérité en face. Intérieurement, tu as dit: «Non, c'est pas vrai!» Ne nie pas, je t'ai entendue d'ici. Eh! bien, oui, tu as deviné juste; tu remportes le gros lot: ton mari a une maîtresse, et peut-être davantage. Qui sait s'il n'a pas une famille cachée quelque part, ou deux même? Si j'étais vulgaire, j'ajouterais: «Ça t'en bouche un coin, pas vrai?»

Quant à toi, ma mère préférée, moi, le fruit béni de tes entrailles, je t'ai choisie entre toutes les femmes pour te dire que tu es une criminelle. Tu portes fièrement le manteau de fourrure que tu as gagné. As-tu jamais songé aux pauvres bêtes innocentes qui ont payé de leur vie ton orgueil immonde? Femme impure, suceuse de sang, parasite de tes frères les animaux, sois maudite pour tes assassinats, et que tes fourrures prennent feu avec toi dedans. Je t'entends répondre que tu ne les as pas tuées, ces bestioles, mais moi je te réponds que tu as encouragé leur massacre en achetant des billets de tirage dans l'espoir de gagner ce manteau. Alors maintenant, tu es punie; tu es condamnée à porter sur tes honteuses épaules, à la face du monde, le poids du règne animal sacrifié à l'homme civilisé.

Assez parlé de vous tous; le coeur me lève. Si c'est à toi que j'envoie cette lettre, c'est que des trois personnes qui constituent ma famille, tu es la moins monstreuse.

Je vais te parler de moi maintenant, ton bon petit garçon qui, à huit ans, volait n'importe quoi à ses compagnons de classe pour le plaisir de voler *et jetait ensuite ces objets dans les bouches d'égoûts; ton bon petit garçon qui, à dix ans, pinçait les enfants dans les parcs jusqu'à ce qu'ils pleurent ou crient; et qui mettait le feu à la queue des chats; et qui, à douze ans, crachait en cachette dans la soupe; et qui à quatorze ans a commencé à s'apercevoir tout seul qu'il était ce que les travailleurs sociaux et les psychologues appellent un pré-délinquant; et qui à seize ans compte trois vierges parmi ses conquêtes. Je n'ai même pas eu besoin de les violer (cela diminue mon mérite); elles ont donné leur plein consentement.*

Sache, ô ma mère, que ton fils adoré pense déjà à son avenir. Aussi j'ai voulu commencer jeune ma carrière dans le commerce. J'ai mon propre réseau, je fais des affaires, oui Madame! Mais depuis quelque temps, les choses vont moins bien. Je manque de stock parce que j'ai dû abandonner de la marchandise pour ne pas me faire pincer. Je sais que je suis surveillé et je finirai tôt ou tard par me faire prendre. Aujourd'hui, j'ai seize ans. Comme disait la chansonnette: «Qu'est-ce que je fais? Je m'arrête ou je continue?»

J'ai décidé d'arrêter, définitivement, de partir, partir très loin vers l'inconnu, à l'aventure, seul avec moi-même, ou plutôt non, je vais te faire partager mon rêve.

La scène se passe dans une chambre de garçon de seize ans. Une planche, à quelques pouces du plafond, s'appuie solidement sur la bibliothèque à un bout et sur la porte de garde-robe à l'autre bout. Sous la planche, presqu'au milieu, un escabeau de cuisine. Une ceinture de robe de chambre est attachée au centre de la planche. Tu vois, je te fais partager mes secrets les plus intimes. En bon fils, je ne pars pas sans donner de nouvelles. Je t'écris même avant de te quitter et tu sauras exactement où me trouver en cas de besoin.

Chère mère, quand tu liras cette trop longue lettre, un cadavre se balancera au bout de la ceinture, la tête passée dans un noeud coulant, les yeux exorbités, la langue mauve. Et tu te souviendras de la chanson d'Alain Barrière:

Un homme s'est pendu à la branche
Les oiseaux ont chanté au-dessus
Chantez, amours qui commencent
Chantez pour la vie qui continue...

NOUVELLE EMERAUDE

LE RAPIDO DE 5 H 50

Sur le quai de la gare Centrale, à Montréal, une jeune fille de 22 ans, portant une seule valise, et un sac à main en bandoulière, s'adresse au contrôleur:

— La voiture numéro six, Monsieur?

— Par ici, Mademoiselle, répond-il en descendant du marchepied. La deuxième vers l'avant.

— Merci!

Lucille monte à bord. Les voyageurs circulent, se poussent, se heurtent, s'excusent. Ils déposent sacs et valises, s'installent. Des bribes de conversation parviennent à l'oreille inattentive de la jeune fille:

— C'est non-fumeur ici...

— Here, take this one.

— J'aime mieux voir dehors.

— De toute façon, il va faire noir bientôt.

— Non, c'est occupé.

— ... all together.

Maintenant installée, Lucille réfléchit. Sa tête n'arrête jamais de fonctionner: «Une vraie tête IBM», lui avait dit un jour une cartomancienne.

— Encore douze minutes exactement... s'il part à l'heure... Dans cinq heures je serai arrivée. Ah! oui, bien sûr, les trains sont toujours à l'heure ici; on n'est pas en Europe... J'aime bien voyager en train: c'est sûr, c'est propre, puis c'est reposant. Je ne me verrais pas aller à Toronto en auto...

Dans sa tête toujours, elle entend l'air connu: «Nous irons à Toronto en auto; nous irons à...» Elle n'attend que le départ du train pour dormir un peu, bercée par le mouvement et le bruit réguliers.

— Cette place est libre, Mademoiselle?

Presque déçue, elle s'entend répondre un faible oui. Elle se remet bientôt à songer:

— Il fallait qu'il vienne s'asseoir justement en face de moi, celui-là. Moi qui espérais pouvoir m'étendre les jambes... Je pourrais le faire quand même, mais les hommes sont tous pareils: il croirait que je le fais exprès pour attirer son attention.

Le train s'ébranle, à peine, un mouvement presque imperceptible. C'est un grincement qui lui fait lever les yeux. Si l'environnement est stable, alors le train bouge.

— Enfin! Je pense que je vais lire un peu. Je dormirai plus tard. «*Les gènes propres au chromosome X sont évidemment portés en double dose par la mère, qui porte deux X; ils passent donc dans tous ses gamètes, et par suite, sont transmis à tous ses enfants. En revanche*» ...[1]

Ah! je n'ai pas la tête à ça...

Elle ferme son livre, s'appuie la tête; le voyageur d'en face la regarde et dit:

---

1. Jean Rostand; *L'Hérédité humaine*

— Si on peut dépasser Dorval, on va accélérer...

Lucille ne répond rien. Il lui semble que son compagnon de voyage cherche n'importe quoi pour engager une conversation.

— Cigarette, Mademoiselle? ... Mademoiselle ou Madame?

— Mademoiselle. Non, merci, je ne fume pas. Cette section, de toute façon, est réservée aux non-fumeurs.

— Oh! Excusez-moi, vous avez raison. Vous avez raison de ne pas fumer aussi. C'est une bien mauvaise habitude. C'est comme une femme: on s'habitue à elle et on ne peut plus la laisser tomber.

— Vous avez une jolie conception de l'amour, vous!

— Allez-vous me dire que jolie comme vous l'êtes, vous avez encore ces idées arrêtées sur le mariage?

— Je ne vois pas ce que la beauté vient faire là-dedans.

— Euh... bien... Je veux dire que vous avez l'air d'un fille plutôt... moderne. Le mariage ne vous paraît pas une peu dépassé? Une idée pour les gens de ma génération?

— Très drôle! Et elle date de combien de siècles, votre génération?

— Qu'est-ce qui vous fait rire?

— Je pense aux *Précieuses Ridicules* de Molière:

«La belle galanterie que la leur! Quoi? Débuter d'abord par le mariage?»

(Et imitant la grosse voix de Gorgibus:)

«Et par où veux-tu donc qu'ils débutent? Par le concubinage?»

Ils rient tous les deux, à l'aise comme de vieux amis.

— Je vois que vous avez de la culture. A vrai dire, c'est rare et surprenant chez les jeunes de votre âge.

— J'ai seulement bonne mémoire, et une fervente passion pour le théâtre.

— Que faites-vous dans la vie?

— J'étudie. Maîtrise en biologie.

— Et vous voyagez, comme ça, matin et soir, pour vous rendre à l'université?

— Non. Non, non. Je suis de Montréal.

— Vous aimez Montréal?

— Je n'ai jamais vécu ailleurs.

— Ah! Je ne sais pourquoi, j'ai toujours l'impression que les gens ne peuvent vivre à Montréal, qu'ils y viennent par affaire et s'en retournent au plus vite.

Lucille commence à prendre goût à la conversation. Hésitante, elle hasarde sa première question:

— C'est... votre cas?

— Si l'on peut dire. Je suis né à Montréal. J'ai grandi à Montréal; puis un jour...

— Affaire de coeur ou de signe de piastre?

— De coeur, en effet. J'ai aimé à Montréal. Une femme que j'aime encore, mais qui ne veut pas le croire. C'était une jeune fille de bonne famille, comme on dit, et quand cette bonne famille a vu qu'elle allait se retrouver avec une fille-mère sur les bras, et surtout avec une tache sur la réputation, elle a choisi de cacher cette honte. Moi, j'étais prêt à épouser mon amie; mais la famille a réussi à la détourner de moi. Elle n'a jamais voulu me revoir... Excusez-moi, je ne devrais pas vous ennuyer avec ça.

— Non, non: vous ne m'ennuyez pas!

— Ce n'est peut-être pas très excitant non plus!

Parle-t-il encore? S'est-il tu? Lucille ne le suit plus. Elle se remet à penser:

— Dire qu'il y a des hommes qui ne pensent qu'à prendre leurs responsabilités. Lui, il aurait fait un bon père, mais la mère n'a pas voulu lui donner sa chance. Mon père, à moi, ce n'était pas la même chose: c'était un écoeurant qui a fui ses responsabilités. Et dire qu'il m'aura fallu 22 ans pour savoir où! Mais, le maudit, il n'a rien perdu pour attendre. «La vengeance est douce au coeur de l'ennemi.» Il va payer pour tout ce que j'ai enduré par sa faute. En ai-je assez entendu des: «Comment ça se fait que tu n'as pas de père?» Ou bien: «Où est-ce qu'il est, ton père?»; «C'est qui, ton père?» Au début, je leur racontais que je n'en avais jamais eu, que ma mère était différente des autres femmes, qu'elle n'avait pas besoin d'un mari. Ca prenait peut-être avec les petits, mais pas avec leurs parents, qui les envoyaient espionner. Et le lendemain, à l'école, ils me rapportaient la réponse: «Mon père a dit que ta mère c'était une traînée», etc. etc. Ils ne savaient même pas ce que ça voulait dire mais ils sentaient qu'il y avait une mystérieuse vérité dans ces mots-là. Ils me les lançaient à la figure, une vraie leçon apprise par coeur. Ils étaient les porte-paroles de leurs dévoués parents qui s'étaient chargés de m'instruire sur mes origines avec tout le malin plaisir que leur procurait ce bénévolat... Quand j'ai commencé à dire que mon père était mort, il était trop tard. Les enfants me disaient: «Comment ça se fait que ton père est mort si tu n'en as jamais eu?» J'étais prise au piège, le piège du mépris et de la haine. Ces deux sentiments-là, je les ai appris par coeur moi aussi. Aujourd'hui, je vais les rendre à qui ils appartiennent.

— Mademoiselle! ... Mademoiselle! ... Vous avez l'air perdue dans vos pensées...

— Oui.

— Puis-je vous offrir un rafraîchissement? Je vais au restaurant.

— Non, merci.

— Certain? Ne vous gênez pas avec moi, vous savez...

— Bien... si ça peut vous faire plaisir, je prendrais un Seven Up.

— Je reviens.

— Il a l'air gentil, cet homme-là. Et désintéressé. Je ne sais pas pourquoi, j'ai tout de suite été portée à lui faire confiance. Et puis, il n'est pas laid à part ça. Il a l'air fier et droit. Je me demande quel âge il peut avoir. Je ne sais pas trop s'il est jeune et paraît vieux, ou plus vieux que l'âge qu'il paraît. Il y a en lui un mélange de jeunesse et de maturité, d'insouciance et de sévérité. S'il est jeune, disons 33, 35 ans, il doit avoir beaucoup de préoccupations, à cause des marques sur son visage. S'il est vieux, il doit avoir eu une vie facile parce qu'il a les yeux brillants d'enthousiasme et le sourire facile. Je lui donnerais 45, non plutôt 42 ans.

Il revient, tend le verre à Lucille qui le remercie, et jetant discrètement un signe vers la gauche, ajoute:

— La femme à côté, elle n'arrête pas de nous regarder.

— Elle doit trouver que nous formons un beau couple...

Elle ne sait pas elle-même pourquoi elle a attiré l'attention de son compagnon de voyage sur cette femme. Ca avait bien peu d'importance qu'une femme les regarde. Le chef de train annonce:

— Kingston dans dix minutes. Ten minutes, Kingston.

La femme dont parlait Lucille s'apprête à descendre. Elle s'adresse à la jeune fille tout à coup:

— Excusez-moi, Mademoiselle, mais comme je descends au prochain arrêt, c'est maintenant ou jamais que je vais satisfaire ma curiosité. Vous n'auriez pas fait vos études secondaires à...

— Soeur Letellier! pas vrai? Je ne vous aurais pas reconnue si vous ne m'aviez parlé. Toujours bibliothécaire?

— Non, j'ai pris ma retraite il y a cinq ans. Et maintenant, je suis «mademoiselle» Letellier.

— Vraiment?

— Vous avez une fille charmante, Monsieur.

— Je n'ai pas cet honneur.

— Pardon. Je vous trouvais des airs de famille. Au prochain hasard!

— Elle l'a pris pour mon père, se dit Lucille. 22 ans, 42 ans, c'est vrai qu'il pourrait l'être. Mon père avait à peu près ça, 20 ans, quand il a abandonné ma mère. Je me demande à quoi il ressemble... Il paraît qu'on ressemble tous plus ou moins à un animal quelconque. Moi, par exemple, je trouve que je ressemble à un renard. Lui, à un... non... je ne sais pas. Mon père, lui, il doit ressembler à... Une chose que je sais en tout cas, c'est que même s'il ne ressemble pas physiquement à un cochon, à un porc, pardon... Ah! que je vais donc lui en faire voir de toutes les couleurs; un vrai feu d'artifice! Ca fait si longtemps que je le cherche. Centaines de jours. Milliers d'heures. Ca fait si longtemps que je me prépare. J'ai imaginé toutes les situations possibles; aucune surprise, j'ai tout prévu. J'ai imaginé toutes les circonstances de sa rencontre, toutes les paroles possibles, toutes les répliques possibles. J'ai imaginé tous les types d'hommes possibles et même les couleurs de chemises qu'il pourrait porter au jour béni de notre première et providentielle rencontre!

— Jusqu'où allez-vous, Mademoiselle? Si je ne suis pas indiscret, bien sûr.

— Toronto.

— En touriste?

— Non.

— Voyage d'études?

— Mais non...

— Excusez-moi, je ne voulais pas me mêler de ce qui ne me regarde pas, et encore moins vous ennuyer.

— Il ne s'agit pas de ça; c'est à moi de m'excuser. Et vous, où allez-vous?

— Moi, j'habite Toronto. J'étais venu à Montréal pour régler certaines affaires de famille. Voyez-vous, cet enfant dont je vous ai parlé tout à l'heure, je ne l'ai jamais connu, mais je ne l'ai jamais oublié. Je n'ai même jamais su de quel sexe il était. Tous les plaisirs de son existence m'ont été enlevés. Mais j'ai contribué financièrement à son éducation. Oh! je sais, c'est bien peu.

Mais on ne m'a pas permis de faire davantage. Croyez-moi, je le déplore. J'avais une femme compréhensive; elle savait tout et a tout pardonné. Quand elle est morte, emportée par un cancer de l'utérus, elle a laissé une part de son héritage à mon enfant qu'elle aimait comme le sien car nous n'avons pas eu la joie d'en avoir d'autres.

Le rêve de Lucille vient se superposer aux dernières paroles, qu'elle perçoit comme dans un état de demi-sommeil; elle poursuit sa réflexion:

La femme de mon père, elle, ne sait rien, pour le moment du moins. Elle joue la grosse madame pendant que ma mère se fend en quatre pour payer mes études. J'ai hâte de lui voir l'air quand je vais lui révéler qui est son bon petit mari... Oser écrire à ma mère qu'il payerait mes études! Si je n'avais pas trouvé ces lettres-là, je n'aurais jamais su combien il était ignoble. Ah! que je vais donc me venger, et venger ma mère qui n'a jamais rien reçu de positif de sa part. Sa femme saura tout, ou il payera cher pour récupérer ses lettres... Payer mes études! Menteur! Voleur! Je dois tout à ma mère et à elle seule.

L'homme poursuit:

— Je me suis fait un devoir d'expédier régulièrement un chèque à la mère de mon enfant. Il n'en saura probablement jamais rien. De toute façon, ce n'est pas ce qui compte.

— Je vous souhaite qu'il sache un jour. Non seulement parce que vous méritez sa reconnaissance, mais aussi pour lui, parce que ces choses-là sont importantes pour un enfant. Mon père, moi, je ne l'ai pas connu. C'est justement pour cette raison que je vais à Toronto. Des affaires de famille moi aussi. Je viens de découvrir où il se cache. En fouillant dans les lettres de ma mère. Je vais bientôt le connaître. Je vais enfin savoir qui est celui que je hais de toutes mes forces, de tout mon coeur. Aucun Dieu au monde ne reçoit un tel culte!

— Comme vous devez souffrir...

— Je suis bien endurcie maintenant. A chacun son tour de souffrir. Le deuxième round commence.

— Votre mère aussi a dû être bien malheureuse.

— Pauvre femme! Je vais vous montrer des photos d'elle. C'est une femme admirable, et encore jolie malgré ses souffrances. J'ai toujours mon album dans mon sac. Regardez.

Il prend l'album. Entre les pages se trouve un billet portant une adresse. Il lit pour lui-même:

— 441 Wellington... Mon Dieu! Est-ce possible?

— N'est-ce pas une belle femme?

— Oui.

— Qu'avez-vous? Vous êtes tout blême!

— Je vais... aller prendre un peu d'air. On étouffe ici. Excusez-moi. Tenez, votre album.

La vie est si injuste. Pourquoi n'aurais-je pas eu, moi, un tel père? Les uns ont tout, les autres rien; pas de milieu. C'est ce qu'on appelle l'équité.

Le train ralentit, grince, et puis s'arrête tout à fait.

— Guilwood. Je ne connaissais pas cette localité. Ce ne doit pas être bien

grand... Moi qui voulais finir mon livre: je n'ai même pas lu une page complète.

Lucille reprend sa lecture:

Lorsque s'unissent deux individus différant par plusieurs gènes, leurs gènes différentiels resteront unis dans les générations subséquentes comme ils l'étaient dans les chromosomes des parents s'il s'agit de gènes appartenant à la même paire chromosomique; au contraire, ils se montreront indépendants les uns des autres s'ils appartiennent à des paires chromosomiques distinctes.[2]

On entend les portières se refermer, puis le train qui s'ébranle.

En réalité, les gènes portés par un même chromosome ne montrent qu'une tendance à rester unis; autrement dit, leur liaison n'est pas totale, car il se...[3]

Lucille s'arrête brusquement:

---

2. Ibid.
3. Ibid.

— Aïe, le monsieur n'est pas revenu. Jamais je ne croirai qu'il est descendu prendre l'air et qu'il n'a pas eu le temps de remonter! Et sa serviette? Il l'a laissée dans le train. Il a peut-être des papiers importants dedans. Je vais la remettre à un employé. Ils vont sûrement la lui faire parvenir. S'il y a une adresse. Oui, il y en a une... 441 Wellington Street, Toronto... Wellington Street? 441 Wellington Street? Ah! non, non! ... Non, ce n'est pas vrai, je ne veux pas, non!

Pendant que Lucille pleure désespérément, le chef de train annonce:

— Toronto. Union Station next. Toronto...

Achevé d'imprimer à Montmagny
par les travailleurs des ateliers Marquis Ltée
en octobre 1985